BREBEUF COLLEGE SCHOOL (TCDSB)
211 STEELES AVENUE E., TORONTO, ON M2M 3Y6

YEAR	NAME	GRADE
2011	anthony, Ali	9
	Alvin Tpng	
	(Zaffronello) Zachary Tonello	
	Corey Hallam	
2013	Declan Da Bare	

24

Quoi de neuf?

Auteurs

Fran Catenacci

Robert Hart

Michael Salvatori

Conseillère et co-auteure

Callie Mady

PEARSON

Education
Canada

Quoi de neuf?

Légende :

Culture

Parlons!

Écoutons!

Lisons!

Écrivons!

jeu

Directrice du département de français langue seconde : Susan Howell
Directrices de la rédaction : Anita Reynolds MacArthur, Caroline Kloss
Rédacteurs : Elaine Gareau; Gina Boncore Crone, Kathleen Bush, Nancy Fornasiero, Tanjah Karvonen, John Niedre, Carol Wells
Directrice du marketing : Diane Masschaele
Production / Rédaction : Nadia Chapin, Louise Cliche, Marie Kocher, Adele Reynolds, Lisa Santilli
Recherche : Nadia Chapin
Assistante : Nicole Argyropoulos
Révision linguistique : Daniel Soha
Coordonnatrice : Suzanne Powell
Conception graphique : Zena Denchik, Monica Kompter, Alex Li, Claire Milne
Image de couverture : © David Stoecklein/CORBIS
Photographie : Ray Boudreau
Recherche photographique : Sandy Cooke, Paulee Kestin, Amanda McCormick
Production audio : France Gauthier – Les productions Hara

Remerciements
Nous tenons à remercier tous les enseignants et les réviseurs pour leur contribution à ce projet. Nous voulons également remercier les jeunes qui ont participé à l'enregistrement de nos disques compacts.

ISBN 0-321-41032-7

Imprimé au Canada
ABCDEF TCP 11 10 09 08 07 06

Les éditeurs ont tenté de retrouver les propriétaires des droits de tout le matériel dont ils se sont servis. Ils accepteront avec plaisir toute information qui leur permettra de corriger des erreurs de référence ou d'attribution.

Quoi de **neuf**?

Table des matières

Quelles qualités sont
importantes
chez tes amis?

Quel est ton plat préféré?

Quelles sont tes préférences musicales?

Quels sports t'inspirent?

Zone amis

Les amis s'amusent!

Tu vas…

- parler des activités des ados;
- présenter un diagramme des activités que tu as en commun avec une autre personne.

Les qualités des amis

Tu vas…

- discuter des qualités et des caractéristiques d'un bon ami ou d'une bonne amie;
- créer un collage avec les qualités d'une personne que tu admires.

Allons-y!

Tu vas…

- parler des endroits où des amis vont ensemble;
- présenter une conversation entre deux amis qui préparent une sortie ensemble.

Les amis s'amusent!

Je regarde la télé. regarde

Je choisis un film. choisi

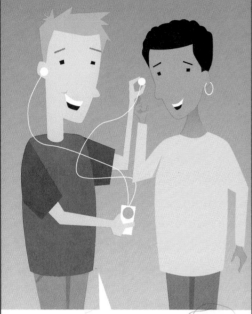

J'écoute de la musique. écouter

J'échange des messages textes avec des amis. échanger

Je réponds à des courriels. répondre

Je magasine. magasiner

Je joue à des jeux vidéo. jouer

Je flâne avec mes amis. flâner

Je fais de la musique. faire

Je parle au téléphone. parler

Je mange au restaurant rapide. manger

Je fais du sport. faire

Je joue au basket-ball. jouer

Je patine. patiner

1. Qu'est-ce que ces ados disent?

2. Qu'est-ce que tu fais avec tes amis?

   ▶ **Cahier p. 4**

3. Écoute des amis qui s'amusent. Qu'est-ce qu'ils font?

   ▶ **Cahier p. 5**

Stratégie d'écoute

Je cherche des mots familiers.

4. Discute de tes activités préférées.

MODÈLE

– Est-ce que tu patines avec tes amis?

– Oui, je patine avec mes amis.

ou

– Non, je ne patine pas avec mes amis.

Comment ça marche? (A)

Le présent des verbes réguliers

Pour parler de nos activités…

Michelle **joue** au frisbee avec Lise.

Juan **finit** son projet de sciences.

Marnie **répond** aux courriels
de son ami, Luc.

Les verbes en -er

jouer

je joue	nous jouons
tu joues	vous jouez
il / elle / on joue	ils / elles jouent

Les verbes en -ir

finir

je finis	nous finissons
tu finis	vous finissez
il / elle / on finit	ils / elles finissent

Les verbes en -re

répondre

je réponds	nous répondons
tu réponds	vous répondez
il / elle / on répond	ils / elles répondent

Attention aux verbes en *-ger!*

manger :	je mange	nous mangeons
	tu manges	vous mangez
	il / elle / on mange	ils / elles mangent

Conjugaisons de verbes :

Le présent des verbes réguliers p. 158

+	−
Je **regarde** la télé.	Je **ne regarde pas** la télé.
Tu **choisis** un bon film.	Tu **ne choisis pas** de bon film.
Nous **attendons** l'autobus.	Nous **n'attendons pas** l'autobus.

À ton tour!

Compose des phrases complètes.

Exemple : (regarder) **Nous** ▢ un film comique.
Nous regardons un film comique.

1. (manger) **Ils** ▢ au restaurant ce soir.

2. (échanger) **Nous** ▢ des messages textes.

3. (répondre) **Je** ▢ à un courriel.

4. (attendre) **Il** n'▢ pas les instructions.

5. (choisir) **Ils** ne ▢ pas de vidéo.

▶ Cahier p. 6

LES PRONOMS SUJETS

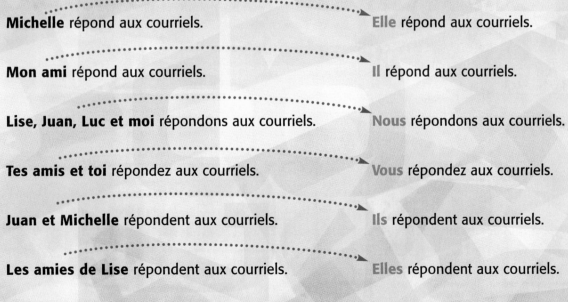

Michelle répond aux courriels.	**Elle** répond aux courriels.
Mon ami répond aux courriels.	**Il** répond aux courriels.
Lise, Juan, Luc et moi répondons aux courriels.	**Nous** répondons aux courriels.
Tes amis et toi répondez aux courriels.	**Vous** répondez aux courriels.
Juan et Michelle répondent aux courriels.	**Ils** répondent aux courriels.
Les amies de Lise répondent aux courriels.	**Elles** répondent aux courriels.

▶ Cahier p. 9

Les *amis* en action!

D

E

F

1. Regarde les ados dans les images. Qu'est-ce qu'ils font?

2. Regarde de nouveau les images. Quelles activités est-ce que tu aimes faire avec tes amis?

3. Écoute ces ados parler de leurs activités.

   ▶ **Cahier p. 10**

Stratégie d'écoute

Je cherche des mots familiers.

4. Discute des activités que tu aimes ou que tu n'aimes pas.

MODÈLE

– Est-ce que tu aimes faire du sport avec tes amis?

– Oui! J'aime faire du sport avec mes amis.

ou

– Non! Je n'aime pas faire du sport avec mes amis.

5. Quelles méthodes de communication sont appréciées chez les ados en Belgique?

   ▶ **Livre p. 18**

Les verbes suivis d'un infinitif

Hannah **adore faire** des biscuits avec son ami, Bruno.

Ils **préfèrent manger** les biscuits frais.

Malheureusement, ils **n'aiment pas** ranger la cuisine!

Pour parler d'une activité…	Pour parler des préférences…
Je patin**e**.	J'**aime** patin**er**.
Tu flân**es**.	Tu **préfères** flân**er**.
Nous magasin**ons**.	Nous **adorons** magasin**er**.

Quelle est la règle?

aimer

préférer ⎫ + verbe à l'infinitif

adorer

Attention **au verbe préférer :**

je préf**è**re	nous préf**é**rons
tu préf**è**res	vous préf**é**rez
il / elle / on préf**è**re	ils / elles préf**è**rent

➕	➖
J'**aime regarder** la télé.	Je **n'aime pas regarder** la télé.
Ils **préfèrent aller** au cinéma.	Ils **ne préfèrent pas aller** au cinéma.

À ton tour!

A **Compose des phrases complètes.**

Exemple : Je / aimer / parler au téléphone.
J'**aime parler** au téléphone.

1. Nous / adorer / faire de la planche à roulettes.

2. Mes amis / aimer / nager.

3. Ton amie et toi / préférer / jouer au volley-ball.

4. Alex / préférer / aller au parc.

5. Marie et sa sœur / adorer / manger du gâteau.

B **Réponds aux questions pour indiquer tes préférences.**

Modèle : Est-ce que tu aimes jouer au soccer?

 Oui, **j'adore jouer** au soccer!

 Oui, **j'aime jouer** au soccer.

 Non, **je n'aime pas jouer** au soccer.

1. Est-ce que tu aimes magasiner?

2. Est-ce que tu aimes communiquer par courriel?

3. Est-ce que tu aimes flâner chez tes amis?

4. Est-ce que tu aimes préparer tes activités à l'avance?

5. Est-ce que tu aimes patiner?

▶ Cahier p. 12

À la tâche

Des activités en commun

Présente un diagramme des activités que tu as en commun avec une autre personne (un ami ou une amie, un membre de ta famille, . . .).

1 Pense aux activités que tu aimes faire. Note tes six activités préférées.

▶ **Cahier p. 17**

2 Pense à une personne que tu admires. Note les six activités préférées de cette personne.

▶ **Cahier p. 17**

3 Prépare ton diagramme de Venn. Regarde le modèle.

▶ **Cahier p. 18**

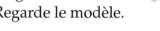

Stratégie d'écriture

Je fais un plan.

4 Présente tes résultats à la classe. Utilise ton diagramme comme aide visuelle.

Stratégie pour bien parler

Je parle assez fort et clairement.

 www.pearsoned.ca/quoideneuf

Planète-jeunes

A

> Chez moi, les blogs sont très appréciés. Je communique mes sentiments et j'affiche mes photos et ma musique préférée. Mes amis peuvent visiter mon blog et même répondre à mon blog!

PAYS-BAS

Bruxelles

BELGIQUE

ALLEMAGNE

LUXEMBOURG

FRANCE

Aurélie
Bruxelles, Belgique

Le sais-tu?

Vocabulaire du blog

blog	=	web log (un journal personnel sur Internet)
joueb	=	journal web (mot français pour blog)
perso	=	personnel
zik	=	musique

B

> Bienvenue sur le blog de MOI, avec des histoires de MOI, des photos de MOI, les détails de MA journée, des exemples de MA musique, des expressions de MON point de vue...

Les messages textes

Tu reconnais **LOL** en anglais? En français, on est **MDR** (mort de rire)!

Associe les messages textes aux versions régulières.

1.

je t'M

Menu 14:46

2.

À:Catherine

Bjr!
C moi.
On va o 6né?

3.

Slt!
TOK
mr6 de
ton MSG

Menu 10:32

a) Bonjour! C'est moi.
On va au cinéma?

b) Je t'aime.

c) Salut! Tu es OK?
Merci de ton
message.

Réponses : 1.b); 2.a); 3.c)

www.pearsoned.ca/quoideneuf

19

Les qualités des amis

désorganisé / désorganisée
Il est désorganisé.

comique / comique
Il est comique.

énergique / énergique
Il est énergique.

honnête / honnête   **Il est honnête.**

sensible / sensible   **Il est sensible.**

sociable / sociable   **Il est sociable.**

bavard / bavarde   **Il est bavard.**

aventureux / aventureuse
Elle est aventureuse.

gentil / gentille   **Elle est gentille.**

curieux / curieuse
Elle est curieuse.

studieux / studieuse
Elle est studieuse.

Collecte de fonds

généreux / généreuse   **Elle est généreuse.**

sportif / sportive
Ils sont sportifs.

créatif / créative
Elle est créative.

1. Regarde ces images. Comment sont ces amis?

2. Selon toi, quelles qualités et caractéristiques sont importantes chez tes amis?

   ▶ Cahier p. 20

3. Écoute des ados parler des qualités et caractéristiques importantes chez leurs amis.

   ▶ Cahier p. 21

Stratégie
d'écoute

Je cherche des mots familiers.

4. Parle des qualités et des caractéristiques de tes amis.

MODÈLE

– Comment est ton ami(e)?

– Mon ami(e) est sociable. Et ton ami(e)?

Comment ça marche?

Les adjectifs réguliers

Pour décrire nos amis...

Mon ami, Guillaume, est **sensible**
et très **désorganisé**!

Mon amie, Zara, est **sensible** et
très **désorganisée** aussi!

Quelle est la règle?

masculin, singulier	**féminin, singulier**
Il est **bavard**.	Elle est **bavarde**.
Il est **désorganisé**.	Elle est **désorganisée**
Il est **spontané**.	Elle est **spontanée**.
Il est **obstiné**.	Elle est **obstinée**.
Attention!	*Attention!*
Il est **comique**.	Elle est **comique**.
Il est **honnête**.	Elle est **honnête**.

masculin, pluriel	**féminin, pluriel**
Ils sont **bavards**.	Elles sont **bavardes**.
Ils sont **patients**.	Elles sont **patientes**.
Ils sont **spontanés**.	Elles sont **spontanées**.
Ils sont **obstinés**.	Elles sont **obstinées**.
Attention!	*Attention!*
Ils sont **comiques**.	Elles sont **comiques**.
Ils sont **honnêtes**.	Elles sont **honnêtes**.

À ton tour!

A **Choisis le bon adjectif pour compléter chaque phrase.**

Exemple : Louise est ___. (intéressant / intéressante)
Louise est **intéressante**.

1. Colin et Michel sont ___. (spontanées / spontanés)

2. Ashley est très ___. (charmante / charmant)

3. Nigel est ___. (bavard / bavarde)

4. Les chats sont ___. (intelligents / intelligentes)

5. Mes sœurs sont vraiment ___. (patients / patientes)

B **Lis les phrases et choisis le bon adjectif.**

Exemple : Jack joue au baseball. Il est ___. (sportif / curieuse)
Jack joue au baseball. Il est **sportif**.

1. En général, je préfère les gens ___. (calmes / comique)

2. Mes amis sont toujours ___ avec moi. (honnête / patients)

3. Marisa et Ruby sont très ___ ! (bavardes / patient)

4. J'admire mon ami Carson. Il est très ___. (désorganisé / patient)

5. Quand j'ai un problème, je cherche un ami ___. (sensible / taquines)

6. Ma sœur aime parler avec ses copines. Elle est ___. (sociable / bavard)

7. Nicolas et Ben sont ___. Il y a toujours une dispute! (taquins / calme)

8. Ma meilleure amie est très ___. (sociables / comique)

▶ Cahier p. 22

Radio tribune : *En direct!*

A

B

1. Regarde les images. Qu'est-ce que tu remarques?

2. Comment sont ces personnes?

3. Écoute ces ados décrire la personne qu'ils admirent.

   ▶ **Cahier p. 25**

Stratégie
d'écoute

Je cherche des mots familiers.

4. Choisis des qualités ou des caractéristiques pour des célébrités.

MODÈLE

- Selon moi, Chantal Kreviazuk est talentueuse.

- Selon moi, elle est généreuse.

5. Moustafa, qui habite au Maroc, admire son ami Jabir. Pourquoi?

   ▶ **Livre p. 30**

Les adjectifs irréguliers

Pour décrire nos amis...

actif, curieux, aventureux

masculin, singulier

Il est **aventureux**.
Il est **ambitieux**.
Il est **curieux**.

Il est **sportif**.
Il est **actif**.
Il est **créatif**.

Il est **gentil**.

masculin, pluriel

Ils sont **aventureux**.
Ils sont **ambitieux**.
Ils sont **curieux**.

Ils sont **sportifs**.
Ils sont **actifs**.
Ils sont **créatifs**.

Ils sont **gentils**.

active, curieuse, aventureuse

féminin, singulier

Elle est **aventureuse**.
Elle est **ambitieuse**.
Elle est **curieuse**.

Elle est **sportive**.
Elle est **active**.
Elle est **créative**.

Elle est **gentille**.

féminin, pluriel

Elles sont **aventureuses**.
Elles sont **ambitieuses**.
Elles sont **curieuses**.

Elles sont **sportives**.
Elles sont **actives**.
Elles sont **créatives**.

Elles sont **gentilles**.

Quelle est la règle?

Il est curieux. ·········▶	Elle est curi**euse**.
Ils sont curieux. ·········▶	Elles sont curi**euses**.
Il est sportif. ·········▶	Elle est sport**ive**.
Ils sont sportif**s**. ·········▶	Elles sont sport**ives**.
Il est gentil. ·········▶	Elle est genti**lle**.
Ils sont gentil**s**. ·········▶	Elles sont genti**lles**.

À ton tour!

Choisis le bon adjectif pour compléter chaque phrase.

Exemple : Todd joue au soccer. Il est ▨▨▨. (sportif / sportive)
Todd joue au soccer. Il est **sportif**.

1. Mon ami Donovan est très ▨▨▨. (curieux / curieuse)

2. Toi, Adam, tu es ▨▨▨. (gentil / gentille)

3. Ma cousine est ▨▨▨ dans sa communauté. (actif / active)

4. Mes amies Julia et Dana sont ▨▨▨. (aventureux / aventureuses)

5. Mes amis sont très ▨▨▨. (créatifs / créatives)

▶ **Cahier p. 27**

LES PRONOMS DISJOINTS

Moi, **je** suis impulsif.

Toi, **tu** es actif.

Lui, **il** est généreux.

Elle, **elle** est généreuse.

Nous, **nous** sommes sportifs.

Vous, **vous** êtes créatifs.

Eux, **ils** sont sérieux.

Elles, **elles** sont aventureuses.

Nous, **nous** sommes sportifs.

Pronoms disjoints	Pronoms sujets
moi	je / j'
toi	tu
lui	il
elle	elle
nous	nous
vous	vous
eux	ils
elles	elles

Elle, **elle** est généreuse.

▶ **Cahier p. 32**

Une personne que j'admire

Crée un collage d'images et de mots qui décrivent une personne que tu admires (un ami ou une amie, un membre de ta famille, une personne célèbre...).

1 Choisis une personne que tu admires.

▶ **Cahier p. 33**

2 Cherche des images pour illustrer les qualités et les caractéristiques de cette personne.

3 Prépare ton collage. Utilise des images et des mots.

Stratégie d'écriture
Je fais un plan.

4 Présente la personne que tu admires à la classe.

Stratégie pour bien parler
Je parle assez fort et clairement.

 www.pearsoned.ca/quoideneuf

3

4

Moi, j'aime le golf, et lui, il est joueur de golf. Il est sportif.

A

ESPAGNE
Rabat

MAROC

AFRIQUE

Moustafa
Rabat, Maroc

Moi, j'admire mon ami Jabir parce qu'il est le champion de baby-foot de toute l'école! Il est ambitieux parce qu'il veut être le champion de baby-foot du Maroc!

le foot = soccer
le baby-foot = foosball

B

Au Maroc, après le foot, le baby-foot est le passe-temps favori des adolescents. Après l'école, les fins de semaine et même dans les rues les jeunes font des matchs.

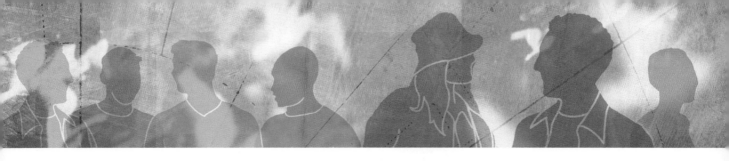

D'où vient le baby-foot?

Le baby-foot a été inventé en France et en Allemagne entre 1880 et 1890. Il y a beaucoup de discussions sur ses origines mais on pense que Lucien Rosengart, un français, a inventé le jeu pour ses petits-enfants un jour de pluie.

Le jeu s'appelle...

en France ··········► le baby-foot

en Angleterre ·····► foosball

en Allemagne ·····► kicker

en Espagne ········► futbolin

en Argentine ·····► metegol

en Turquie ·········► langirt

E   Le sais-tu?

Depuis 2004, il existe à chaque année, une Coupe du Monde de baby-foot. Plus de 20 pays se rassemblent en compétition pour déclarer un champion. Le Canada a une équipe!

www.pearsoned.ca/quoideneuf

Allons-y!

1

8

7

4

5

2

CINÉMA

12

3

11

10

32

Légende

1. au centre commercial
2. au cinéma
3. au restaurant rapide
4. au parc de planches à roulettes
5. au centre récréatif
6. à la salle de quilles
7. à la bibliothèque
8. à l'aréna
9. à l'école
10. à l'arcade
11. à la plage
12. au café

Quand?
À quelle heure?

Les expressions de temps

- tout de suite
- plus tard
- demain
- la semaine prochaine
- la fin de semaine
- ce matin
- cet après-midi
- ce soir

Les jours de la semaine

- lundi
- mardi
- mercredi
- jeudi
- vendredi
- samedi
- dimanche

1. Où est-ce que tu vas d'habitude avec tes amis?

   ▶ **Cahier p. 36**

2. Écoute des amis parler de leurs activités. Où est-ce qu'ils sont?

   ▶ **Cahier p. 37**

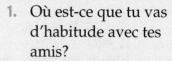
Stratégie d'écoute

Je cherche des mots familiers.

3. Discute des endroits où tu vas ce soir et cette fin de semaine.

MODÈLE

- Où est-ce que tu vas ce soir?

- Je vais au centre commercial. Et toi?

- Je vais à la bibliothèque.

et

- Où est-ce que tu vas cette fin de semaine?

- Je vais au cinéma. Et toi?

- Je vais à l'aréna.

Vouloir et *pouvoir*

Pour exprimer un désir ou une possibilité…

Le verbe *vouloir* exprime **un désir**.

je veux	nous voulons
tu veux	vous voulez
il / elle / on veut	ils / elles veulent

Lise et Sylvie **veulent** aller à l'aréna.

Le verbe *pouvoir* exprime **une possibilité**.

je peux	nous pouvons
tu peux	vous pouvez
il / elle / on peut	ils / elles peuvent

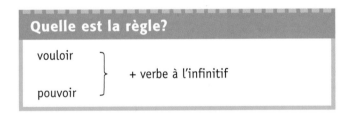

Quelle est la règle?

vouloir
pouvoir   } + verbe à l'infinitif

Marie **ne peut pas** aller à l'aréna.

⊕	⊖
Je **veux parler** au téléphone.	Je **ne veux pas parler** au téléphone.
Ils **peuvent aller** au cinéma.	Ils **ne peuvent pas aller** au cinéma.

Conjugaisons de verbes :
Vouloir et *pouvoir* pp. 162-163

À ton tour!

A Compose des phrases complètes.

Exemple : Il / vouloir / voir un film.
Il **veut** voir un film.

1. Nous / vouloir / aller au

2. Je / vouloir / regarder la

3. Samantha / vouloir / aller à l'

4. Vous / ne… pas / vouloir / magasiner au

5. Elles / ne… pas / vouloir / manger au

B Compose des phrases complètes.

Exemple : Je / pouvoir / aller au cinéma.
Je **peux** aller au cinéma.

1. Nous / pouvoir / faire du ski.

2. Mes amis / pouvoir / aller à la plage.

3. Tu / pouvoir / jouer au tennis avec moi?

4. Je / ne… pas / pouvoir / aller à la bibliothèque.

5. Vous / ne… pas / pouvoir / rester ici pour l'instant.

▶ Cahier p. 38

Des *invitations*

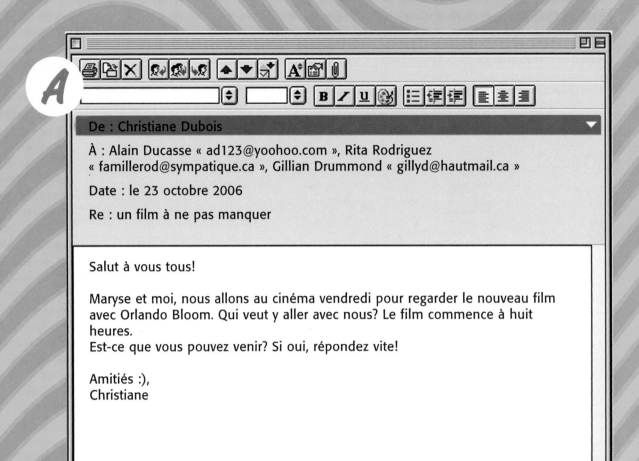

De : Christiane Dubois

À : Alain Ducasse « ad123@yoohoo.com », Rita Rodriguez
« famillerod@sympatique.ca », Gillian Drummond « gillyd@hautmail.ca »

Date : le 23 octobre 2006

Re : un film à ne pas manquer

Salut à vous tous!

Maryse et moi, nous allons au cinéma vendredi pour regarder le nouveau film avec Orlando Bloom. Qui veut y aller avec nous? Le film commence à huit heures.
Est-ce que vous pouvez venir? Si oui, répondez vite!

Amitiés :),
Christiane

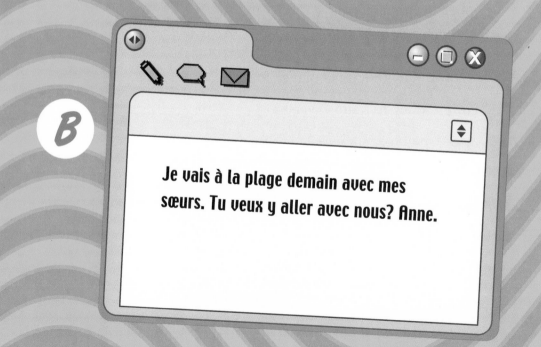

Je vais à la plage demain avec mes sœurs. Tu veux y aller avec nous? Anne.

C

Salut Sandrine...

Où est-ce que tu vas cet après-midi?
Moi, je vais à l'arcade. Est-ce que
tu veux aller avec moi? Rob et Pierre
y vont aussi probablement.

Sam

D

« Bonjour Karim. C'est moi, Jules. Je veux aller à La Ronde cette fin de semaine. C'est un parc d'attractions formidable! Est-ce que tu peux y aller aussi? Nous pouvons partir dimanche à neuf heures du matin pour y arriver de bonne heure. Téléphone-moi! »

1. Regarde ces invitations. Comment est-ce qu'on peut inviter des amis à une sortie?

2. Quel type d'invitation est familier?

3. Lis ces invitations. Quelles sortes d'informations est-ce qu'on trouve sur ces invitations?

▶ **Cahier p. 41**

Stratégie
de lecture

J'identifie le contexte.

4. Quelle invitation t'intéresse le plus?

MODÈLE

– Est-ce que tu veux aller à la plage?

– Oui, je veux aller à la plage.

ou

– Non, je ne veux pas aller à la plage.

5. Où est-ce que Serge va chaque été?

▶ **Livre p. 42**

Le pronom *y*

Pour parler des destinations et des endroits...

Oui, j'**y** vais.   ou   Oui, je veux **y** aller.

Salut, Brian. Est-ce que tu vas **au centre récréatif**?

ou

Salut, Brian. Est-ce que tu veux aller **au centre récréatif**?

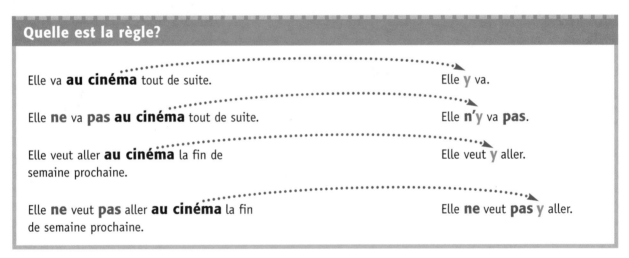

Quelle est la règle?

Elle va **au cinéma** tout de suite.   ⟶   Elle **y** va.

Elle **ne** va **pas au cinéma** tout de suite.   ⟶   Elle **n'y** va **pas**.

Elle veut aller **au cinéma** la fin de semaine prochaine.   ⟶   Elle veut **y** aller.

Elle **ne** veut **pas** aller **au cinéma** la fin de semaine prochaine.   ⟶   Elle **ne** veut **pas y** aller.

À ton tour!

A Remplace les mots indiqués par *y*. Fais attention au placement des mots!

Exemple :   Paul va **à la bibliothèque**.
Paul **y** va.

1. Vous allez **à l'aréna**.

2. Alors, nous allons **au parc de planche à roulettes**.

3. Elles vont manger **au restaurant rapide**.

4. Tu vas aller **au cinéma**.

B **Mets les phrases à la forme négative.**

Exemples : Nous **y** allons.
Nous **n'y** allons **pas**.

Nous pouvons **y** aller.
Nous **ne** pouvons **pas y** aller.

1. Patricia y va.

2. Vous y allez?

3. Je peux y aller ce soir.

4. Ils veulent y manger.

▶ **Cahier p. 43**

QUAND? À QUELLE HEURE?

Quand **est-ce que tu veux aller au** cinéma?

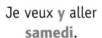

Quand **veux-tu aller** au cinéma?

Je veux **y** aller **samedi**.

À quelle heure **est-ce que tu veux aller** au cinéma?

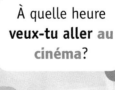

À quelle heure **veux-tu aller** au cinéma?

Je veux **y** aller **à vingt heures**.

▶ **Cahier p. 48**

À la tâche

On organise une sortie!

En paires, créez une conversation dans laquelle ton ami(e) et toi préparez une sortie ensemble.

1 Faites un plan. Déterminez quand, où, avec qui, et à quelle heure votre sortie va se passer.

▶ **Cahier p. 49**

2 Préparez votre conversation par écrit. Utilisez un modèle.

▶ **Cahier p. 50**

Stratégie d'écriture

Je fais un plan.

3 Présentez votre conversation à la classe.

Stratégie pour bien parler

Je parle assez fort et clairement.

www.pearsoned.ca/quoideneuf

Salut, Kathy. C'est moi, Marie. Est-ce que tu veux aller au cinéma demain?

Non, je regrette. Je ne peux pas y aller.

Expressions utiles – une invitation

POUR ACCEPTER

J'accepte avec plaisir!

Oui, merci! Je veux bien y aller!

C'est une bonne idée!

POUR REFUSER

Merci, mais je ne peux pas.

Je regrette. Je ne peux pas y aller.

Planète-jeunes

A

Chaque été, à la plage, on célèbre les festivals *Châteaux du monde* et *Sable-Eau-Vent* sur ma petite île. Mes amis et moi, on y va chaque année.

Serge
Îles de la Madeleine,
Canada

«Châteaux du monde...»
Îles de la Madeleine - 12-13-14 août 2005

XIXe
Concours
de châteaux
de sable

B

Pour fabriquer un bon château de sable, il faut quelques amis, un seau, une pelle, du sable, de l'eau et beaucoup d'imagination! Installez-vous au bord de l'eau, creusez un trou et utilisez le sable mouillé.

| un seau | une pelle | creuser |

 C

Le sais-tu?

Il existe différentes sortes de compétitions de cerfs-volants.
Tu peux apprendre le combat *rokkakus* – combat japonais.
Les *rokkakus* s'attaquent dans les airs. Un par un, chaque
cerf-volant tombe par terre. Le but de
la compétition est d'avoir seulement
un *rokkakus* dans les airs.

> Un cerf-volant *rokkakus*
> est très grand. Ça prend
> trois personnes pour le faire
> voler. Il mesure 3,30m!

www.pearsoned.ca/quoideneuf

La bonne bouffe

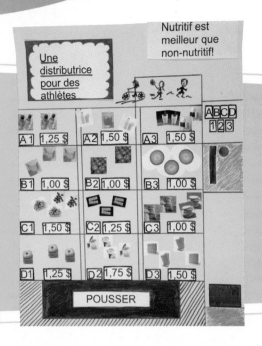

Nutritif est meilleur que non-nutritif!

Une distributrice pour des athlètes

| ABCD |
| 123 |

A1	1,25 $	A2	1,50 $	A3	1,50 $
B1	1,00 $	B2	1,00 $	B3	1,00 $
C1	1,50 $	C2	1,25 $	C3	1,00 $
D1	1,25 $	D2	1,75 $	D3	1,50 $

POUSSER

A

Je mange… Je bois…

Tu vas…

- découvrir les collations et boissons préférées des ados;

- présenter une distributrice originale.

B

À chacun son goût

Tu vas…

- parler de tes plats et boissons préférés dans les restaurants rapides;

- combiner deux plats ou boissons pour créer un nouveau plat ou une nouvelle boisson pour le restaurant rapide de ton choix.

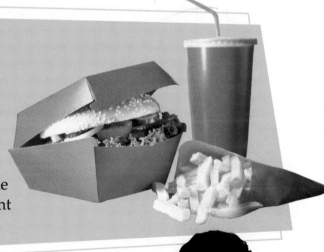

C

Dans la cuisine

Tu vas…

- parler des plats que tu aimes préparer;

- présenter une de tes recettes préférées.

Je mange... Je bois...

la crème glacée

le lait

une boisson gazeuse

le jus

le lait au chocolat

l'eau

le yogourt

un bâtonnet glacé

les biscuits

les bonbons

les céréales

le fromage

les craquelins

l'ananas

les raisins

les pommes

les fraises

les bananes

46

le céleri

les tomates

les carottes

une barre de chocolat

le pain

les noix

le beurre d'arachide

les croustilles

le maïs soufflé

une barre granola

1. Quelles
   boissons e
   tu préfères?
   ▶ **Cahier p. 54**

2. Écoute des ados
   chez le dépanneur.
   Qu'est-ce qu'ils achètent?
   ▶ **Cahier p. 55**

Stratégie d'écoute

J'utilise le contexte.

3. Discute de tes
   collations préférées.

MODÈLE

– Quelles collations et boissons
  est-ce que tu préfères?

– Moi, je préfère la crème
  glacée et le jus.

...collations et ...st-ce que

...us grande quantité...

de + le = **du**

du lait

la crème glacée

de + la = **de la**

de la crème glacée

l'eau

de + l' = **de l'**

de l'eau

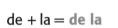

les noix

de + les = **des**

des noix

➕	➖
Je bois **du** lait.	Je **ne** bois **pas** de lait.
Elle mange **de la** crème glacée.	Elle **ne** mange **pas** de crème glacée.
Il boit **de l'**eau.	Il **ne** boit **pas** d'eau.
Nous achetons **des** noix.	Nous **n'**achetons **pas** de noix.

Attention!   ne... pas + **du / de la / de l' / des** = **de / d'**

À ton tour!

A **Utilise la bonne forme du partitif pour compléter chaque phrase.**

du	de la	de l'	des

Exemple : Au dépanneur, j'achète ▢ yogourt.

Au dépanneur, j'achète **du** yogourt.

1. Au dépanneur, je prends ▢ crème glacée.

2. Dans le réfrigérateur, il y a ▢ ananas.

3. À l'école, on prend ▢ barres granola comme collation.

4. À la cafétéria, il y a ▢ maïs soufflé et ▢ croustilles.

B **Complète les phrases avec _de_ ou _d'_.**

Exemple : Dans la distributrice, il n'y a pas ▢ bonbons ou ▢ eau.

Dans la distributrice, il n'y a pas **de** bonbons ou **d'**eau.

1. Dans la distributrice, il y a des noix mais il n'y a pas ▢ fruits.

2. Chez moi, je ne prends pas ▢ collation.

3. Après l'école, nous ne buvons pas ▢ eau.

4. Est-ce qu'il n'y a pas ▢ bâtonnets glacés dans ce dépanneur?

C **Compose des questions. Réponds aux questions selon le modèle.**

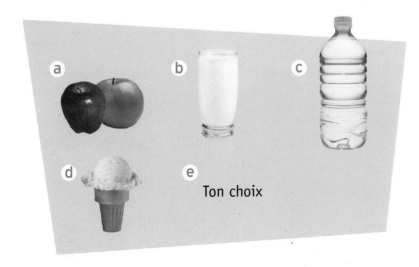

a b c

d e Ton choix

MODÈLE

– Est-ce que tu achètes **du yogourt** chez le dépanneur?

– Oui, j'achète **du yogourt**.

ou

– Non, je n'achète pas **de yogourt**.

▶ Cahier p. 56

Après l'école...

A

Au parc...

B

À l'école...

Chez moi...

1. Regarde les images.
   - Où sont ces ados?
   - Qu'est-ce qu'ils mangent?

2. Qu'est-ce que tu manges après l'école?

3. Écoute des ados parler de leurs collations préférées.

   ▶ Cahier p. 59

Stratégie d'écoute

J'utilise le contexte.

4. Joue à un jeu de cartes.

MODÈLE

– Excuse-moi, est-ce que les pommes sont meilleures que les raisins?

– Oui, les pommes sont meilleures que les raisins. Voici la carte!

ou

– Non, je regrette. Les pommes ne sont pas meilleures que les raisins.

5. Est-ce qu'il y a une collation populaire chez les ados en France?

   ▶ Livre p. 56

A Comment ça marche?

Le comparatif

Hmmm, le pain est **bon**…

Mais le fromage est **meilleur que** le pain!

Pour comparer deux choses…

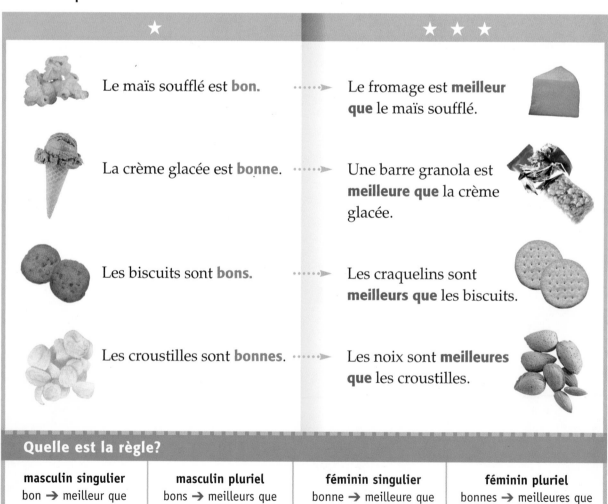

★	★ ★ ★
Le maïs soufflé est **bon**.	Le fromage est **meilleur que** le maïs soufflé.
La crème glacée est **bonne**.	Une barre granola est **meilleure que** la crème glacée.
Les biscuits sont **bons**.	Les craquelins sont **meilleurs que** les biscuits.
Les croustilles sont **bonnes**.	Les noix sont **meilleures que** les croustilles.

Quelle est la règle?

masculin singulier	masculin pluriel	féminin singulier	féminin pluriel
bon → meilleur que	bons → meilleurs que	bonne → meilleure que	bonnes → meilleures que

À ton tour!

A Complète les phrases avec la bonne forme de *bon*.

bon	bonne	bons	bonnes

Exemple : Le pain est ▢ .

Le pain est **bon**.

1. Le yogourt est ▢ .

2. Les raisins sont ▢ .

3. La crème glacée est ▢ .

4. Les noix sont ▢ .

5. Les craquelins et les biscuits sont ▢ .

B Crée des phrases avec la bonne forme du comparatif.

meilleur que	meilleure que	meilleurs que	meilleures que

Exemple : le lait au chocolat / les boissons gazeuses

Selon moi, le lait au chocolat **est meilleur que** les boissons gazeuses. *ou*

Selon moi, les boissons gazeuses **sont meilleures que** le lait au chocolat.

1. la crème glacée / une barre granola

2. les biscuits / les craquelins

3. les céréales / les barres granola

4. l'ananas / les fraises

▶ Cahier p. 62

DES QUESTIONS

Et toi, **qu'est-ce que tu prends** comme collation?

Et toi, **que prends-tu** comme collation?

Moi, je prends des craquelins avec du fromage.

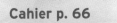

▶ Cahier p. 66

53

À la tâche

Une distributrice originale

Crée une distributrice pour une clientèle de ton choix (par exemple, des athlètes).

1 Fais un plan. Choisis des collations et des boissons pour ta distributrice.

▶ **Cahier p. 67**

2 Prépare une aide visuelle de ta distributrice.

3 Prépare ta présentation par écrit. Utilise un modèle.

▶ **Cahier p. 68**

Stratégie
d'écriture

J'utilise des ressources.

4 Présente ta distributrice à la classe.

Stratégie
pour bien parler

Je fais attention à la prononciation.

  www.pearsoned.ca/quoideneuf

1

2

Une distributrice pour des athlètes

Nutritif est meilleur que non-nutritif!

A 1 1,25 $	A2 1,50 $	A3 1,50 $	ABCD 123
B1 1,00 $	B2 1,00 $	B3 1,00 $	
C1 1,50 $	C2 1,25 $	C3 1,00 $	
D1 1,25 $	D2 1,75 $	D3 1,50 $	

POUSSER

Planète-jeunes

A

> Les chocolatines sont une collation populaire en France. Ce sont de petits pains au chocolat. On achète des chocolatines chez le boulanger.

des chocolatines

Sandrine
Bordeaux, France

B

Le sais-tu?

Comment dit-on **chocolat** en d'autres langues? Associe les mots aux langues.

1. chokalade   a) chinois

2. sokolata   b) espagnol

3. cioccolato   c) grec

4. tchyaokeuli   d) italien

5. chocolate   e) russe

C

1. Les Suisses sont les plus grands mangeurs de chocolat. Ils mangent annuellement 11 kilos de chocolat par personne.

2. Le chocolat vient des fèves de cacao qui se trouvent dans le fruit de l'arbre cacaoyer. Le cacaoyer est un arbre des tropiques.

3. Parfois on utilise du sirop de chocolat pour imiter le sang dans les films d'horreur, comme dans *Psycho* d'Alfred Hitchcock.

Dictionnaire **visuel**

À chacun son goût

un yogourt fouetté

une pizza

un lait frappé

des pâtes

une salade

des frites

des rouleaux de printemps

un sous-marin

Des condiments

du ketchup

de la mayonnaise

de la moutarde

de la sauce

de la vinaigrette

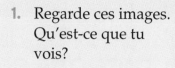
un hamburger

Des ingrédients

de l'ananas

des bananes

du brocoli

des carottes

des champignons

des fraises

du fromage

du jambon

de la laitue

de l'oignon

des olives

du pepperoni

des piments

des poivrons

des tomates

1. Regarde ces images. Qu'est-ce que tu vois?

2. Et toi, qu'est-ce que tu préfères manger et boire?

   ▶ **Cahier p. 70**

3. Écoute des ados parler de leurs plats et boissons préférés au restaurant rapide.

   ▶ **Cahier p. 71**

Stratégie d'écoute

J'utilise le contexte.

4. Parle des ingrédients de ton plat ou de ta boisson préféré(e).

MODÈLE

– Et toi, quel est ton plat préféré?

– C'est le sandwich roulé.

– Et qu'est-ce que tu prends dans ton sandwich roulé?

– Moi, je prends des tomates et de la mayonnaise.

un sandwich roulé

une coupe glacée

un bol de riz

un taco

Comment ça marche? (Déjà vu)

Le pronom *en*

Pour éliminer la répétition…

Est-ce que tu mets **des fraises** sur ta crème glacée?

Oui, j'**en** mets.

Est-ce que tu veux mettre **de la moutarde** sur ton sandwich?

Oui, je veux **en** mettre.

1. Est-ce qu'il veut **des tomates** dans sa salade?

   Oui, il veut **des tomates** dans sa salade. → Oui, il **en** veut.

   Non, il **ne** veut **pas de tomates** dans sa salade. → Non, il **n'en** veut **pas**.

2. Est-ce qu'il veut mettre **des tomates** dans sa salade?

   Oui, il veut mettre **des tomates** dans sa salade. → Oui, il veut **en** mettre.

   Non, il **ne** veut **pas** mettre **de tomates** dans sa salade. → Non, il **ne** veut **pas en** mettre.

?	+	−
Tu bois **du jus**?	Oui, j'**en** bois.	Non, je **n'en** bois **pas**.
Tu veux boire **du jus**?	Oui, je veux **en** boire.	Non, je **ne** veux **pas en** boire.
Tu manges **des frites**?	Oui, j'**en** mange.	Non, je **n'en** mange **pas**.
Tu veux manger **des frites**?	Oui, je veux **en** manger.	Non, je **ne** veux **pas en** manger.

À ton tour!

A Remplace les mots indiqués par le pronom *en*.

Exemple : Tu mets **du ketchup** sur tes frites.
Tu **en** mets sur tes frites.

1. Elle met **de la vinaigrette** sur sa salade.

2. Je mets **de la moutarde** sur mon hamburger.

3. Vous mettez **de la mayonnaise** sur vos sandwichs.

4. Ils mettent **des champignons** sur leurs sous-marins.

B Remplace les mots indiqués par le pronom *en*.

Exemple : Je veux mettre **des fraises** dans mon yogourt fouetté.
Je veux **en** mettre dans mon yogourt fouetté.

1. Tu veux mettre **du jambon** sur ta pizza.

2. Il veut mettre **des champignons** dans sa salade.

3. Elle veut mettre **du fromage** sur son hamburger.

4. Martin et Daniel veulent mettre **de l'ananas** sur leurs coupes glacées.

C Compose des questions. Réponds aux questions selon le modèle.

a
b
c
d
e
Ton choix

MODÈLE

– Est-ce que tu mets du pepperoni sur ta pizza?

– Oui, j'en mets.

ou

– Non, je n'en mets pas.

▶ Cahier p. 72

A

PIZZA Paradis

La pizza à la poutine

du fromage   des frites   de la sauce

La meilleure pizza au monde avec les meilleures garnitures.

Seulement
5,95 $

B

Crème de la crème

**Tarte aux bleuets...
la meilleure saveur de l'année!**

**C'est la meilleure crème glacée
pour le meilleur prix.**

1,50 $

Villa végétarienne

C

Nouveau... Nouveau... Nouveau!

Salade teriyaki!

Une salade nutritive avec les meilleurs ingrédients.

Goûtez à cette nouvelle création : du riz et une salade avec une sauce teriyaki.

Le meilleur choix végétarien.
Seulement 2,95 $.

Maison du Sandwich

Le meilleur voyage en Europe...
c'est notre sandwich italien!

D

- du jambon italien
- des légumes grillés
- de la sauce pesto

C'est le sandwich le plus nutritif et le plus délicieux.
Seulement 1,99 $.

---

1. Regarde ces publicités. Qu'est-ce qu'on annonce?

2. Quelle publicité est-ce que tu préfères? Pourquoi? Est-ce que tu aimes le slogan, le prix, les ingrédients?

3. Lis ces publicités pour confirmer ton choix. Quel plat est-ce que tu veux essayer?

   ▶ **Cahier p. 75**

Stratégie de lecture

Je cherche des mots-amis.

4. Participe à un jeu pour trouver le meilleur choix de plat. **jeu**

MODÈLE

– Est-ce que la pizza est le meilleur choix?

– Oui, la pizza est le meilleur choix.

   ou

– Non, la crème glacée est le meilleur choix.

5. Qu'est-ce que les ados préfèrent manger en Belgique et au Québec?

   ▶ **Livre p. 68**

Le superlatif

1. **Le meilleur voyage** en Europe… c'est notre sandwich italien.

2. C'est **la meilleure saveur** de l'année.

3. La salade teriyaki a **les meilleurs ingrédients**.

4. La pizza à la poutine a **les meilleures garnitures**.

Pour comparer plus de deux choses…

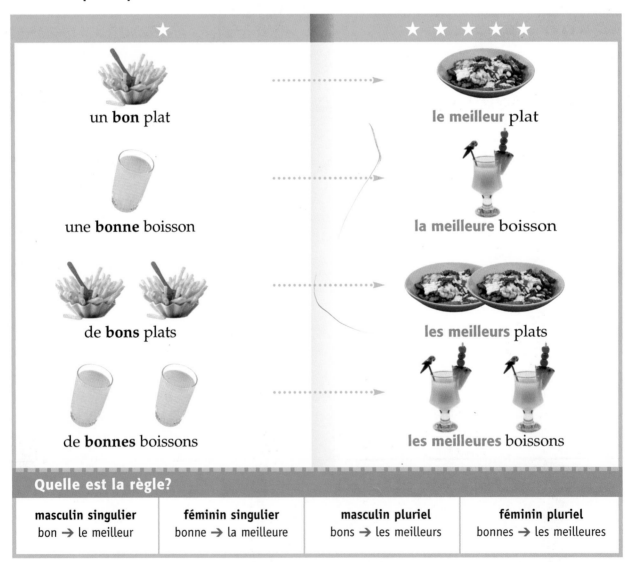

⭐

un **bon** plat

une **bonne** boisson

de **bons** plats

de **bonnes** boissons

⭐ ⭐ ⭐ ⭐ ⭐

le **meilleur** plat

la **meilleure** boisson

les **meilleurs** plats

les **meilleures** boissons

Quelle est la règle?

masculin singulier	féminin singulier	masculin pluriel	féminin pluriel
bon → le meilleur	bonne → la meilleure	bons → les meilleurs	bonnes → les meilleures

À ton tour!

A Crée des phrases avec le bon superlatif.

le meilleur	la meilleure	les meilleurs	les meilleures

Exemple : La pizza à la poutine est ▭ pizza de la planète!
La pizza à la poutine est **la meilleure** pizza de la planète!

1. La salade teriyaki est ▭ salade de la planète!

2. Le sandwich italien est ▭ sandwich de la planète!

3. Les frites en Belgique sont ▭ frites de la planète!

4. Les tacos de ma mère sont ▭ tacos de la planète!

B Réponds aux questions selon le modèle.

Exemple : Quel plat a la meilleure valeur nutritive?
Le riz a la meilleure valeur nutritive.

1. Quel plat a le meilleur prix?

2. Quel plat a les meilleurs ingrédients?

3. Quel plat a la meilleure valeur nutritive?

▶ **Cahier p. 78**

a 5,00 $

b 3,00 $

c 2,50 $

d 2,00 $

DES QUESTIONS

Un hamburger végétarien, **c'est combien**?

Ça coûte 1,99 $.

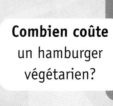

Combien coûte un hamburger végétarien?

▶ **Cahier p. 82**

À la tâche

Un nouveau plat

En paires, créez un nouveau plat ou une nouvelle boisson pour un restaurant rapide de votre choix.

1 Faites un plan. Combinez deux plats ou boissons pour créer un nouveau plat ou une nouvelle boisson. Notez les ingrédients.

▶ **Cahier p. 83**

2 Faites une annonce publicitaire pour le nouveau plat ou la nouvelle boisson. Utilisez le modèle.

▶ **Cahier p. 84**

Stratégie
d'écriture

J'utilise des ressources.

3 Préparez votre présentation du plat ou de la boisson par écrit. Utilisez un modèle.

▶ **Cahier p. 85**

4 Présentez votre nouveau plat ou votre nouvelle boisson à la classe. La classe va choisir la meilleure création.

Stratégie
pour bien parler

Je fais attention à la prononciation.

www.pearsoned.ca/quoideneuf

Le taco dessert

chez los Rancheros

des fraises · des bananes · de la crème glacée · du sirop au chocolat

+ un taco

1,99 $

= LE TACO DESSERT

Le meilleur dessert de la planète!

A

> Moi, je mange des frites avec de la mayonnaise. Mais mon ami québécois mange souvent *de la poutine* – des frites avec de la sauce et du fromage.

PAYS-BAS

Bruxelles

BELGIQUE   Liège

ALLEMAGNE

LUXEMBOURG

FRANCE

de la poutine

Marc
Liège, Belgique

des frites avec de la mayonnaise

B

Le sais-tu?

Les ados en France mangent souvent dans la rue : des cornets de crêpes, des sandwichs chauds appelés *croque-monsieur* (du jambon et du fromage) ou *croque-madame* (du jambon, du fromage et un œuf).

un croque-monsieur

C

Les pommes de terre

1. Les premières pommes de terre en Amérique du Nord datent de 1719.

2. Les premières frites ont été servies aux États-Unis à la Maison Blanche en 1802.

3. En 1995, avec la NASA, la pomme de terre est devenue le premier légume cultivé dans l'espace.

4. Cultivée partout dans le monde, la pomme de terre est un des légumes les plus fréquemment mangés.

Décembre 2004, Toronto : Radio-Canada et *New York Fries* ont organisé une grande fête pour créer la plus grosse poutine au monde de plus de 300 kg!

D

Le Canada a le record mondial du plus gros fromage cheddar. En 1995, la coopérative Agropur au Québec a fabriqué un fromage de 26 085 kg (26 tonnes). Elle a utilisé 245 000 kg de lait pour faire le fromage!

 www.pearsoned.ca/quoideneuf

Dans la cuisine

Verser **le mélange dans un verre.**

Ajouter **du fromage.**

des nachos

un yogourt fouetté

Faire **chauffer le lait.**

du chocolat chaud

une omelette   Battre **les œufs.**

70

des crêpes

Mélanger **les ingrédients.**

du macaroni au fromage

Faire **cuire le macaroni.**

Mettre **les biscuits au four.**

des biscuits

Des mesures

une cuillère à thé		5 mL
une cuillère à soupe		15 mL
une tasse		250 mL

1. Regarde ces images. Qu'est-ce que tu vois?

2. Quels plats et boissons est-ce que tu sais préparer?

   ▶ **Cahier p. 86**

3. Écoute des ados parler. Quels plats est-ce qu'ils savent préparer?

   ▶ **Cahier p. 87**

Stratégie
d'écoute

J'utilise le contexte.

4. Discute des plats et des boissons que tu sais préparer.

MODÈLE

– Est-ce que tu sais préparer des crêpes?

– Non, je ne sais pas préparer des crêpes.

ou

– Oui, je sais préparer des crêpes, et je sais mélanger les ingrédients.

Les adverbes

Pour expliquer les étapes d'une recette...

À l'écrit

Le pain doré

À l'oral

1. **Battre** les œufs et le lait.

D'abord, **je bats** les œufs et le lait.

2. **Mettre** du pain dans le mélange.

Puis, **je mets** du pain dans le mélange.

3. **Faire cuire** le pain.

Ensuite, **je fais cuire** le pain.

4. **Verser** du sirop d'érable sur le pain doré.

Enfin, **je verse** du sirop d'érable sur le pain doré.

Quelle est la règle?

D'abord	Puis	Enfin
En premier	Ensuite	Finalement
	Après	

À ton tour!

A **Ajoute le bon adverbe au début de chaque phrase. Utilise les adverbes dans la boîte ci-dessus.**

Exemple :   je bats les œufs et le lait.
D'abord, je bats les œufs et le lait.

1.   , je mélange la farine et le sucre.

2.   , j'ajoute le lait et les œufs.

3.   , je verse le mélange dans une poêle.

4.   , je fais cuire les crêpes.

la farine

les œufs

une poêle

B **Change les phrases de la recette en suivant l'exemple.**

Exemple :   Couper les oignons et les olives.
D'abord, je coupe les oignons et les olives.

1. Ajouter du fromage.

2. Mettre les nachos au four.

3. Ajouter des tomates et de la crème sure.

4. Manger les nachos.

C **Mets les étapes de la recette dans l'ordre. Puis ajoute des adverbes et utilise la forme *je* du verbe.**

1. Verser la boisson dans un verre.

2. Ajouter du lait et de la crème glacée.

3. Mettre la banane dans un mixeur.

4. Mélanger les ingrédients.

un mixeur

▶ Cahier p. 88

Comment
faire des fajitas?

Ingrédients

- des tortillas, 4
- de l'oignon, 1
- du poivron (vert ou rouge), 1
- de l'huile d'olive, 15 mL / 1 cuillère à soupe
- du fromage cheddar, à votre goût
- du poulet cuit ou du bœuf cuit (facultatif), 250 mL / 1 tasse
- de la salsa, à votre goût

Temps de préparation : 8 minutes

Nombre de portions : 4

Préparation

1. Faire cuire de l'oignon et du poivron dans l'huile.

2. Mettre le mélange sur les tortillas.

3. Mettre du poulet ou du bœuf sur les tortillas. (à votre goût)

4. Ajouter du fromage et de la salsa.

5. Rouler les tortillas.

> Pour préparer mes fabuleux fajitas, vous avez besoin de tortillas, de légumes frais et de restes de viande. Mon secret? J'ajoute de l'ail aux légumes! D'autres variations? Souvent j'ajoute de la crème sure et du guacamole. Ma sœur est végétarienne, donc elle met seulement des légumes grillés dans ses fajitas.

1. Qu'est-ce que tu vois?

2. Est-ce que tu manges des fajitas chez toi?

3. Lis la recette. Compare ces fajitas à des fajitas que tu aimes manger.

▶ Cahier p. 91

Stratégie de lecture

Je cherche des mots-amis.

4. Joue à un jeu. Lis les instructions de recette et devine le plat.

MODÈLE

- J'ai besoin d'œufs.

- Tu prépares une omelette?

- Non, je ne prépare pas une omelette.

ou

- Oui, je prépare une omelette.

5. Quel plat est apprécié chez les ados en Tunisie?

▶ Livre p. 80

Avoir besoin de

Pour exprimer une nécessité…

> Les œufs sont dans le réfrigérateur.

> Zut!!! J'**ai besoin** d'œufs pour faire mes biscuits!

Quelle est la règle?

le beurre	⋯⋯⋯➤	J'ai besoin **de** beurre.
la farine	⋯⋯⋯➤	Elle a besoin **de** farine.
l'huile	⋯⋯⋯➤	Vous avez besoin **d'**huile.
les noix	⋯⋯⋯➤	Ils ont besoin **de** noix.

⊕	⊖
Tu as besoin **de** beurre.	Tu **n'**as **pas** besoin **de** beurre.
Il a besoin **de** farine.	Il **n'**a **pas** besoin **de** farine.
Nous avons besoin **d'**huile.	Nous **n'**avons **pas** besoin **d'**huile.
Elles ont besoin **de** noix.	Elles **n'**ont **pas** besoin **de** noix.

À ton tour!

A **Complète les phrases par l'expression** *avoir besoin de*.

Exemple : Il ▓ beurre pour faire le gâteau.
Il **a besoin de** beurre pour faire le gâteau.

1. Vous ▓ tomates pour faire la pizza.

2. Elle ▓ fromage pour faire les nachos.

3. Pour faire du chocolat chaud, on ▓ lait.

4. Nous ▓ laitue pour faire une salade César.

5. Pour faire une omelette, vous ▓ œufs.

B **Mets les phrases de la Partie A au négatif.**

Exemple : Il a besoin de beurre pour faire le gâteau.
Il **n'**a **pas** besoin de beurre pour faire le gâteau.

C **Tu fais des muffins. Tu as besoin de quels ingrédients? Suis le modèle.**

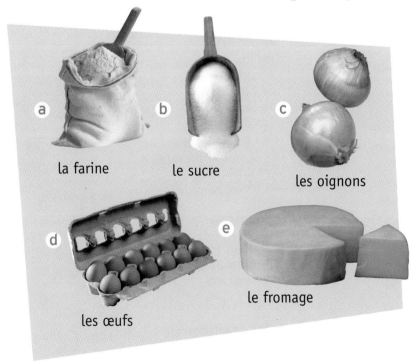

a la farine

b le sucre

c les oignons

d les œufs

e le fromage

MODÈLE

– Est-ce que tu as besoin de farine?

– Oui, j'ai besoin de farine.

ou

– Non, je n'ai pas besoin de farine.

▶ Cahier p. 94

À la tâche

Une bonne recette

Fais la démonstration de ta recette préférée.

1 Choisis une recette que tu sais préparer.

▶ **Cahier p. 99**

2 Prépare une carte de recette. Utilise le modèle.

▶ **Cahier p. 100**

Stratégie d'écriture

J'utilise des ressources.

3 Prépare la présentation orale de ta recette. Utilise un modèle.

▶ **Cahier p. 101**

4 Présente ta recette à la classe.

Stratégie pour bien parler

Je fais attention à la prononciation.

www.pearsoned.ca/quoideneuf

1

2

Salade César

Ingrédients

- du jus de citron
- 1 œuf
- de l'ail
- de la moutarde
- des anchois
- de l'huile d'olive
- de la laitue romaine
- des croûtons
- du fromage parmesan (à votre goût)

Préparation

1. Mélanger le jus de citron, l'œuf, l'ail, la moutarde et les anchois pour faire la vinaigrette.

2. Ajouter l'huile.

3. Verser la vinaigrette sur la laitue.

4. Mélanger la salade.

5. Ajouter des croûtons et du fromage parmesan à la salade. (à votre goût)

A

> Moi, j'aime faire la cuisine. Les fins de semaine, je prépare du couscous. C'est facile à préparer! On a besoin de couscous, d'eau et de légumes. C'est un repas très apprécié dans mon pays.

Habib
Tunis, Tunisie

B

Le sais-tu?

Le couscous est l'aliment de base des peuples de l'Afrique du Nord, comme le riz est l'aliment de base en Asie et les pâtes en Italie. Son nom vient de l'arabe classique *kouskous* qui veut dire «granule de blé».

C

Jamie Oliver, un chef anglais énormément populaire

À l'âge de huit ans, Jamie Oliver commence à faire la cuisine dans le restaurant de ses parents. À 16 ans, il commence ses études de cuisine formelles. Puis, il travaille comme cuisinier dans un restaurant bien connu de Londres. Il passe à la télévision et écrit des livres de recettes qui se vendent à travers le monde. Jamie organise même le programme *Fifteen* où des jeunes apprennent le métier de cuisinier.

D

Les déjeuners autour du monde

Chaque pays a ses traditions et ses coutumes pour le premier repas du jour. En voici quelques exemples…

la confiture

1. En France : du café au lait, des croissants ou du pain et de la confiture

2. En Allemagne : des œufs, des céréales, du pain, de la confiture et de la charcuterie

3. En Chine et en Asie : du riz, des légumes et des viandes

4. En Suisse : du muesli, du yogourt, des fromages, du pain et des fruits

la charcuterie

5. Au Mexique : des *Huevos rancheros* (un tortilla, des œufs, de la salsa, du fromage, des oignons et des piments)

www.pearsoned.ca/quoideneuf

Musique-mania!

A

Les styles de musique

Tu vas...

- découvrir des styles de musique variés;
- exprimer tes préférences musicales dans une tribune vidéo.

B

Au concert!

Tu vas...

- lire des affiches qui annoncent des concerts;
- créer une affiche publicitaire pour un concert et une annonce à la radio.

Rob Thomas en concert!

Un des meilleurs compositeurs!

N'attendez pas!

Quand? Le vendredi 15 novembre

Où? À Calgary

Billets 35,00 $

Rob chante des chansons de son dernier disque compact. Il les chante avec énergie!

Notez la date!

C

Les musiciens et leurs instruments

Tu vas...

- lire un texte sur l'évolution de la musique moderne;
- préparer une biographie de ton artiste ou groupe préféré.

Les styles de musique

le pop, **Avril Lavigne**

Ce disque compact est...
bizarre
bon
branché
captivant
émouvant
mauvais
mémorable
remarquable
romantique
touchant

le reggae, **Bob Marley**

le jazz **et** le blues, **Diana Krall**

la musique latino, **Ricky Martin**

le rock, **Nickelback**

Cette musique est...
calmante
électrifiante
énergique
ennuyeuse
irritante
mélodieuse
passionnante
rythmée

Ces paroles sont...
choquantes
expressives
géniales
intéressantes

le punk, **Green Day**

la musique classique,
Yo-Yo Ma

le country, **Shania Twain**

la musique d'opéra,
Luciano Pavarotti

le rap, **Queen Latifa**

le R&B **et** le hip hop, **Usher**

la musique techno,
Adam Goldstein (DJ AM)

1. Quels styles de musique sont représentés dans ces pages?

2. Quels styles de musique est-ce que tu préfères? Pourquoi?

   ▶ **Cahier p. 104**

3. Écoute des ados décrire leurs styles de musique préférés.

   ▶ **Cahier p. 105**

Stratégie d'écoute

Je fais des prédictions et je vérifie mes prédictions.

4. Discute de tes préférences musicales.

MODÈLE

– Quel style de musique est-ce que tu aimes?

– Moi, j'aime le rock.

– Pourquoi est-ce que tu aimes ce style?

– J'aime ce style parce que c'est énergique.

Le superlatif

Pour comparer des styles de musique...

> Le country est **une** musique romantique.

> La musique classique est **la musique la plus** romantique.

> Le punk est **la** musique **la moins** romantique!

👍	👎
La musique techno est **le style** le plus branché.	La musique d'opéra est **le style** le moins branché.
La musique classique est **la musique** la plus touchante.	La musique rap est **la musique** la moins touchante.
Les musiques classique et d'opéra sont **les styles** les plus calmants.	Les musiques rap et techno sont **les styles** les moins calmants.
Les chansons latino sont **les chansons** les plus rythmées.	Les chansons pop sont **les chansons** les moins émouvantes.

Quelle est la règle?

masculin singulier	masculin pluriel
le plus / le moins → branché	les plus / les moins → branché**s**
féminin singulier	**féminin pluriel**
la plus / la moins → branché**e**	les plus / les moins → branché**es**

À ton tour!

A Compose des phrases avec le superlatif.

Exemple : La musique latino est la musique ▯ énergique. (plus)
La musique latino est la musique **la plus** énergique.

1. Le pop est le style ▯ populaire. (plus)

2. Les chansons country sont les chansons ▯ mémorables. (plus)

3. Le rock est le style ▯ calmant. (moins)

4. Le hip hop et le reggae sont les musiques ▯ rythmées. (plus)

5. Les musiques classique et latino sont les musiques ▯ offensives. (moins)

B Regarde les images. Complète les phrases pour indiquer tes préférences.

Exemple : Le style ▯ est le plus populaire.
Le style **pop** est le plus populaire.

1. La musique ▯ est la plus romantique.

2. Les membres du groupe ▯ sont les plus énergiques.

3. Les musiques ▯ et ▯ sont les plus calmantes.

a

b

c

d Ton choix

▶ Cahier p. 107

Nos préférences

1. Regarde les ados dans ces images. Quand est-ce qu'ils écoutent de la musique?

2. Quand écoutes-tu de la musique (dans la voiture, dans ta chambre, dans la campagne)?

3. Quel style de musique est-ce que chaque ado préfère? Écoute ces ados pour confirmer tes prédictions.

▶ **Cahier p. 110**

Stratégie d'écoute

Je fais des prédictions et je vérifie mes prédictions.

4. Discute du style de musique que tu associes à ces endroits et activités.

MODÈLE

– La musique que j'écoute quand je vais à l'école, c'est le pop.

– Je suis d'accord.

ou

– Je ne suis pas d'accord.

5. Quel style de musique peut-on entendre en Louisiane?

▶ **Livre p. 94**

Comment ça marche?

Les pronoms relatifs *qui* et *que*

Pour relier des idées avec *qui* et *que*...

C'est le rock **qui** est branché!

C'est la musique classique **que** j'aime!

qui	que
C'est le pop **qui a** le plus grand succès commercial.	C'est le pop **que j'**écoute le plus.
C'est la musique techno **qui est** la plus branchée.	C'est la musique techno **que mon ami** aime le plus.
C'est le jazz **qui a** le plus grand effet sur nos émotions.	C'est le jazz **que mes parents** écoutent le plus.
C'est le rap **qui discute** des problèmes de la société.	C'est le rap **qu'elle** aime le moins.

Attention! *Que* devient *qu'* devant un mot qui commence par une voyelle. *Qui* ne change pas.

Quelle est la règle?

qui + verbe	que / qu' + nom ou pronom

À ton tour!

A Complète les phrases avec *que, qu'* ou *qui.*

Exemple : C'est la musique des Beatles ▆▆ mes parents écoutent.
C'est la musique des Beatles **que** mes parents écoutent.

1. C'est la musique de Nickelback ▆▆ les ados aiment.

2. C'est le rock ▆▆ est le plus branché.

3. Mes cousins adorent la musique classique. C'est Beethoven ▆▆ ils écoutent.

4. C'est la musique des Rolling Stones ▆▆ on écoute avec mes parents.

5. Mon amie danse beaucoup. C'est la musique latino ▆▆ est la musique la plus passionnante.

6. C'est Green Day ▆▆ j'aime le plus.

7. Ma mère aime la musique rétro. C'est The Cure ▆▆ elle adore.

8. C'est la musique d'opéra ▆▆ affecte le plus les émotions.

B Réponds aux questions selon les modèles.

a Nelly Furtado

b Sam Roberts

c Mary J. Blige

d Usher

e Ton choix

MODÈLES

– Quel chanteur est-ce que tu aimes le plus?

– C'est Usher que j'aime le plus.

et

– Quel chanteur aime danser le plus?

– C'est Madonna qui aime danser le plus.

▶ **Cahier p. 112**

Une tribune vidéo

Exprime tes préférences musicales dans une tribune vidéo.

1 Choisis le style de musique que tu aimes le plus. Explique tes préférences.

▶ **Cahier p. 117**

2 Prépare ta présentation par écrit. Utilise le modèle.

▶ **Cahier p. 118**

Stratégies d'écriture

Je fais un brouillon.
J'utilise un modèle.

3 Présente ton texte d'opinion pour une tribune vidéo.

▶ **Cahier p. 119**

Stratégie pour bien parler

Je regarde l'auditoire.

 www.pearsoned.ca/quoideneuf

Planète-jeunes

A

J'aime la musique zydeco.
C'est un style de musique folk qu'on peut entendre en Louisiane. La musique a son origine chez le peuple francophone-créole. Les instruments typiques du zydeco sont l'accordéon, la batterie, la guitare et un instrument unique appelé *un frottoir*.

Paul
Louisiane, États-Unis

un frottoir

B ## Le sais-tu?

Aux États-Unis, l'industrie de la musique présente les prix *Grammy*. Au Canada anglais, ce sont les prix *Juno* et au Canada français, ce sont les prix *Félix*. C'est en l'honneur de Félix Leclerc, l'un des premiers et plus célèbres compositeurs québécois.

C

Natalie MacMaster

Natalie MacMaster est une violoniste canadienne qui vient du Cap-Breton en Nouvelle-Écosse. Natalie joue du violon depuis l'âge de neuf ans. Sa musique est basée sur la musique celtique qui est la musique traditionnelle du Cap-Breton. Elle a gagné deux prix *Juno*.

D

Styles de musique préférés des Canadiens entre l'âge de 15 et 20 ans :

1. le rock

2. le pop

3. le hip hop et le rap

4. le R&B

Centre de recherche Décima, Sondage d'opinion sur l'industrie canadienne de la musique et du cinéma, juillet 2005

www.pearsoned.ca/quoideneuf

Dictionnaire visuel

Au concert!

un groupe

un disque compact

l'équipement

un vidéoclip

un musicien

une affiche

un billet de concert

un spectateur

une spectatrice

des souvenirs

un t-shirt

un molleton

des effets spéciaux

un macaron

une casquette

une musicienne

le style de mon artiste préféré

les instruments

l'estrade

La technologie

un site web officiel

le palmarès à la radio / sur Internet

un concert diffusé sur Internet

de la musique téléchargée (achetée sur Internet)

un lecteur MP3

une station de musique à la télévision *(Musique-plus)*

1. Regarde les images. Qu'est-ce que tu vois?

2. Aimes-tu aller à des concerts? Pourquoi?

   ▶ Cahier p. 120

3. Écoute bien. Associe chaque ado aux éléments d'un concert.

   ▶ Cahier p. 121

Stratégie d'écoute

Je fais des prédictions et je vérifie mes prédictions.

4. Discute de tes expériences quand tu vas à des concerts.

MODÈLE

– Quel est ton élément préféré d'un concert?

– Moi, j'aime les effets spéciaux. Et toi?

– J'aime les instruments.

L'impératif

Pour donner un ordre ou pour présenter une suggestion…

Les verbes en -*er*

écout**er**

Au présent	À l'impératif
tu écout**es**	écout**e***
nous écout**ons**	écout**ons**
vous écout**ez**	écout**ez**

Attention! Pour les verbes en -*er*, on enlève le *s* final de la forme *tu*.

Les verbes en -*ir*

chois**ir**

Au présent	À l'impératif
tu chois**is**	chois**is**
nous chois**issons**	chois**issons**
vous chois**issez**	chois**issez**

Les verbes en -*re*

attend**re**

Au présent	À l'impératif
tu attend**s**	attend**s**
nous attend**ons**	attend**ons**
vous attend**ez**	attend**ez**

+	**—**
Écoute l'album!	**N'écoute pas** l'album!
Choisissons cette musique.	**Ne choisissons pas** cette musique.
Attendez la fin du concert!	**N'attendez pas** la fin du concert!

Conjugaisons de verbes pp. 158-163

À ton tour!

A **Toi et tes amis, vous voulez aller à un concert. Fais des suggestions à l'impératif.**

Exemple :   Vous achetez une affiche du groupe.
Achetez une affiche du groupe.

1. Tu visites leur site web.

2. Vous lisez cet article sur le groupe.

3. Tu choisis un disque compact.

4. Nous écoutons leur musique avant le concert.

5. Nous écrivons une chanson rock.

6. Tu ne commandes pas de billets en ligne.

7. Vous n'allez pas au concert.

8. Nous n'achetons pas de souvenirs.

LES VERBES RÉFLÉCHIS

se laver

je **me** lave

tu **te** laves

il / elle / on **se** lave

nous **nous** lavons

vous **vous** lavez

ils / elles **se** lavent

Il **se** lave.

D'autres verbes réfléchis

se réveiller	se lever	se peigner	se maquiller	se raser
s'habiller	s'ennuyer	s'amuser	se dépêcher	se brosser les dents

▶ Cahier p. 125

En concert!

A

Le meilleur concert de l'année!

Le groupe hip hop
le plus original du Canada.

Vous allez le trouver
absolument extraordinaire!

Dubmatique

Des billets à partir de 35,00 $
Vous pouvez les acheter en ligne.

Au Centre Estrade de Winnipeg le 21 octobre

NE TARDEZ PAS!

B

ALANIS MORISSETTE
en concert!

Pleine de talent!

Fabuleuse!

Dynamique!

Venez voir la meilleure chanteuse pop du Canada.

Vous pouvez la voir et l'écouter en personne!
Prix des billets : 40,00 $
Au Colisée d'Ottawa, le 3 août
(concert ouvert à tous)

Des billets gratuits!
Allez en ligne! Vous pouvez les gagner!

Nickelback

Le groupe rock le plus branché du Canada.

Écoutez les nouvelles chansons de leur dernier album.

En tournée au Canada tout l'été!
Les billets coûtent entre 35,00 $ et 55,00 $.

Le concert le plus inoubliable de l'année!
Vous ne pouvez pas le manquer.
Notez la date du concert dans votre région.

1. Quelles informations y a-t-il sur ces affiches publicitaires?

2. Quelle affiche t'intéresse? Lis les affiches pour apprendre les détails de chaque spectacle.

► Cahier p. 126

Stratégie de lecture

Je cherche des mots familiers.

3. Pense aux détails de ces concerts et joue à un jeu.

jeu

MODÈLE

- Quel groupe est le plus branché?

- Nickelback est le groupe le plus branché.

- Oui, tu as raison!

4. Nomme un artiste francophone qui est populaire au Nouveau-Brunswick.

► Livre p. 106

Les pronoms *le*, *la*, *l'*, *les*

Pour éliminer la répétition...

	+	**−**
Je préfère **le chanteur**.	Je **le** préfère.	Je **ne le** préfère **pas**.
Je regarde **la vidéo**.	Je **la** regarde.	Je **ne la** regarde **pas**.
J'aime **le groupe U2**.	Je **l'**aime.	Je **ne l'**aime **pas**.
J'adore **la chanteuse Mary J. Blige**.	Je **l'**adore.	Je **ne l'**adore **pas**.
Je connais **les membres du groupe SUM 41**.	Je **les** connais.	Je **ne les** connais **pas**.
Je veux voir **ce chanteur**. (1) (2)	Je veux **le** voir. (1) (2)	Je **ne** veux **pas le** voir. (1) (2)
Je vais regarder **cette vidéo**. (1) (2)	Je vais **la** regarder. (1) (2)	Je **ne** vais **pas la** regarder. (1) (2)
Je peux acheter **ces affiches**. (1) (2)	Je peux **les** acheter. (1) (2)	Je **ne** peux **pas les** acheter. (1) (2)

Attention!   Quand il y a deux verbes, le pronom est placé devant le verbe à l'infinitif.

À ton tour!

A **Élimine la répétition. Remplace les mots indiqués.**

Exemple :   Nous regardons **le concert** ce soir.
Nous **le** regardons ce soir.

1. On achète **les billets** en ligne.

2. Au concert, il achète **le disque compact**.

3. On ne commande pas **les billets** en ligne.

4. Je n'aime pas **la musique techno**.

B **Regarde les images. Pose des questions sur tes choix suivant le modèle.**

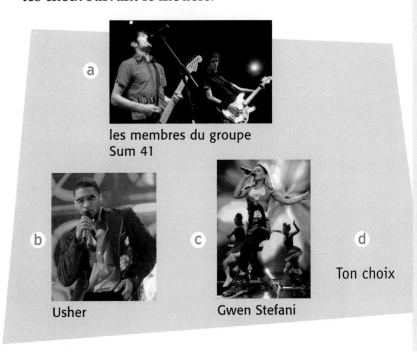

les membres du groupe
Sum 41

Usher

Gwen Stefani

Ton choix

C **Remplace les mots indiqués. Fais attention au placement des mots!**

Exemple :   Je vais acheter **les billets** samedi soir.
Je vais **les** acheter samedi soir.

1. Vous allez trouver **ce groupe** formidable.

2. Nous pouvons voir **Alicia Keys** au festival.

3. Je peux télécharger **les chansons** pour toi.

▶ Cahier p. 128

À la tâche

Une publicité de concert

Crée une affiche publicitaire pour un concert et une annonce à la radio.

1 Choisis un(e) artiste ou un groupe que tu préfères.

▶ **Cahier p. 133**

2 Prépare une affiche pour le concert de ton artiste ou de ton groupe. Utilise le modèle.

▶ **Cahier p. 134**

Stratégies d'écriture

Je fais un brouillon.
J'utilise un modèle.

3 Prépare ton annonce pour la radio par écrit. Utilise le modèle.

▶ **Cahier p. 135**

4 Présente ton annonce.

Stratégie pour bien parler

Je regarde l'auditoire.

 www.pearsoned.ca/quoideneuf

A

Mon artiste préférée s'appelle Natasha St-Pier. Cette chanteuse pop-rock est née au Nouveau-Brunswick. À l'âge de huit ans, elle a fait partie d'un concours de chant! Natasha est tellement populaire qu'elle voyage entre le Québec, la France, la Belgique et d'autres pays pour promouvoir son cinquième album *Longueur d'ondes*.

Québec · Labrador · Nouveau-Brunswick · Terre-Neuve · Île-du-Prince-Édouard · Nouvelle-Écosse

Julie
Nouveau-Brunswick, Canada

Natasha St-Pier

B

Live 8

Le musicien Bob Geldof a organisé les concerts Live 8 contre la pauvreté en 2005. Ils ont eu lieu simultanément dans neuf villes.

1. Londres, Angleterre
2. Barrie, Canada
3. Paris, France
4. Berlin, Allemagne
5. Rome, Italie
6. Philadelphie, États-Unis
7. Tokyo, Japon
8. Moscou, Russie
9. Johannesburg, Afrique du Sud

Le sais-tu?

Comme *Canadian Idol*, *Star Académie* est un concours de chant télévisé. *Star Académie* passe dans 12 villes du Québec, de l'Ontario et du Nouveau-Brunswick à la recherche de nouveaux talents francophones.

Le concert Music for Relief

Concerts bénéfices

Music for Relief organise des concerts pour collecter des fonds afin d'aider les gens affectés pas les désastres naturels. Elle a organisé des concerts pour aider les victimes du tsunami en Asie et l'ouragan Katrina à la Nouvelle-Orléans.

Quelques grands concerts bénéfices à travers le monde :

Concert pour Bangladesh, 1971

Live Aid, 1985

Concert pour New York, 2001

Toronto Rocks, 2003

Live 8, 2005

le tsunamie en Asie

l'ouragan Katrina

www.pearsoned.ca/quoideneuf

Les musiciens et leurs instruments

la trompette

la basse

le saxophone

le violon

la guitare classique

la flûte

la guitare électrique

la batterie

Musicien	Musicienne
l'accordéoniste	l'accordéoniste
le bassiste	la bassiste
le batteur	la batteuse
le chanteur	la chanteuse
le flûtiste	la flûtiste
le guitariste	la guitariste
le pianiste	la pianiste
le saxophoniste	la saxophoniste
le trompettiste	la trompettiste
le violoniste	la violoniste

le piano

l'accordéon

le synthétiseur

Elle **joue du violon.**

Il **joue de la guitare électrique.**

1. Regarde ces images. Peux-tu nommer un des musiciens sur ces pages?

2. Quel instrument de musique joue chaque artiste? Joues-tu d'un instrument?

3. Connais-tu d'autres artistes qui jouent de ces instruments? Quel instrument est-ce qu'il ou elle joue?

   ▶ **Cahier p. 136**

4. Écoute des ados au magasin de disques.

   ▶ **Cahier p. 137**

Stratégie d'écoute

Je fais des prédictions et je vérifie mes prédictions.

5. Discute de tes instruments préférés.

MODÈLE

– Quel est ton instrument de musique préféré?

– Moi, je préfère la guitare.

– Est-ce que tu connais un guitariste, toi?

– Oui, Eddie Van Halen est un guitariste.

ou

– Non, je ne connais pas de guitariste.

109

Le passé composé avec *avoir*

Pour parler des actions au passé...

Max **a acheté** une guitare.

Les verbes en -*er*

ache**ter**

j'**ai** acheté	nous **avons** acheté
tu **as** acheté	vous **avez** acheté
il / elle / on **a** acheté	ils / elles **ont** acheté

Lindsay **a fini** sa leçon de piano.

Les verbes en -*ir*

fin**ir**

j'**ai** fini	nous **avons** fini
tu **as** fini	vous **avez** fini
il / elle / on **a** fini	ils / elles **ont** fini

Ils **ont vendu** cent mille albums.

Les verbes en -*re*

ven**dre**

j'**ai** vendu	nous **avons** vendu
tu **as** vendu	vous **avez** vendu
il / elle / on **a** vendu	ils / elles **ont** vendu

Attention aux verbes irréguliers!

faire	**mettre**	**suivre**
Il **a fait** une bonne tournée.	Ils **ont mis** les instruments sur l'estrade.	Elle **a suivi** des leçons de piano pendant huit ans.

➕	➖
J'**ai acheté** un beau souvenir.	Je **n'ai pas acheté** de beau souvenir.
Ils **ont fini** la tournée.	Ils **n'ont pas fini** la tournée.
Tu **as vendu** ton lecteur MP3.	Tu **n'as pas vendu** ton lecteur MP3.

Conjugaisons de verbes pp. 158-163

À ton tour!

A **Mets les phrases au passé composé.**

Exemple : Le chanteur **gagne** un prix pour son disque compact.
Le chanteur **a gagné** un prix pour son disque compact.

1. Les membres du groupe **donnent** un concert à Toronto.

2. Le batteur ne **chante** pas au concert.

3. Mes amis **choisissent** U2 comme meilleur groupe.

4. Le concert ne **finit** pas avant minuit.

5. Les musiciens **répondent** aux questions des journalistes.

6. Je ne **vends** pas mon saxophone.

7. Shania Twain **fait** une tournée de toutes les provinces.

8. Il **suit** des leçons de chant chaque fin de semaine.

B **Compose des questions. Réponds aux questions selon le modèle.**

1. Chantal Kreviazuk
2. Jesse Cooke
3. Kenny G
4. Neal Peart

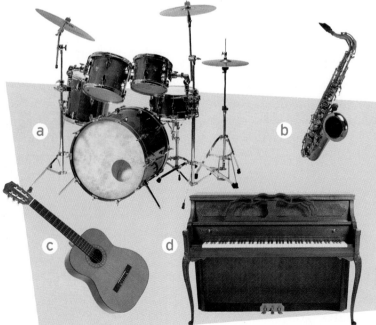

a
b
c
d
e
Ton choix

MODÈLE

– Quel instrument est-ce que Neal Peart a joué au concert?

– Il a joué de la batterie au concert.

▶ Cahier p. 138

La musique, ça bouge!

Le punk et la disco ont éclaté sur la scène internationale. Des groupes comme The Clash et ABBA sont nés.

Le reggae est devenu populaire dans les années 70 avec Bob Marley. La musique des Caraïbes, avec les tambours métalliques, a influencé beaucoup d'autres styles modernes.

Elvis Presley est devenu le premier grand artiste du rock 'n' roll. La guitare électrique est arrivée!

1950   **1960**   **1970**   **1980**

C'est l'invasion du rock 'n' roll anglais. Les Beatles, musiciens les plus célèbres, sont arrivés aux États-Unis de Liverpool. Le bassiste et chanteur, Paul McCartney, est toujours très populaire.

C'est aussi l'arrivée des Rolling Stones qui jouent de la guitare, de la basse et de la batterie. Ce groupe rock légendaire est resté populaire.

U2 a dominé la musique des années 80. Ce groupe rock irlandais a connu un succès monstre et est resté un des plus importants groupes du monde.

1. Regarde ces images. Est-ce que tu connais ces artistes?

2. Quel style de musique est-ce que chaque photo représente?

3. Lis l'article sur la musique pour confirmer tes prédictions.

▶ Cahier p. 142

Le punk-rock moderne est né avec des groupes comme Green Day et Sum 41.

1990 ······ **2000** ·····

La musique grunge et le rap ont transformé la scène musicale. MC Hammer a gagné beaucoup de popularité.

Stratégie de lecture

Je cherche des mots familiers.

4. Joue à un jeu-questionnaire. **jeu**

MODÈLES

– Ce sont des instruments de musique des Caraïbes. Qu'est-ce que c'est?

– Ce sont les tambours métalliques.

– Oui, tu as raison!

et

– Ils sont nés en Angleterre. Qui sont-ils?

– C'est U2.

– Non, tu as tort!

5. Quel instrument à vent vient de l'océan?

▶ Livre p. 118

Le passé composé avec *être*

Pour parler des actions au passé...

Il **est arrivé** en retard pour le concert.

Elle **est partie** avant la fin du concert.

Ils **sont descendus** de l'estrade en même temps.

On utilise l'auxiliaire **être** pour former le passé composé de certains verbes.

je **suis** arrivé(e)
tu **es** arrivé(e)
il **est** arrivé
elle **est** arrivée
on **est** arrivé
nous **sommes** arrivé(e)s
vous **êtes** arrivé(e)(s)
ils **sont** arrivés
elles **sont** arrivées

Quelle est la règle?

aller	masculin singulier **il** est all**é**	masculin pluriel **ils** sont all**és**
	féminin singulier **elle** est all**ée**	féminin pluriel **elles** sont all**ées**

Quelle est la règle?

Pour les verbes conjugués avec **être** au passé composé, n'oublie pas **Dr. et Mrs. Vandertramp**.

devenir – devenu
revenir – revenu

monter – monté
rester – resté
sortir – sorti

venir – venu
aller – allé
naître – né
descendre – descendu
entrer – entré
rentrer – rentré
tomber – tombé
retourner – retourné
arriver – arrivé
mourir – mort
partir – parti

Conjugaisons de verbes pp. 158-163

À ton tour!

A Décris un concert à ton école.

Exemple :

La violoniste solo / rester pour parler avec l'enseignant.

La violoniste solo **est restée** pour parler avec l'enseignant.

1. Sarah / partir avant le solo de piano.

2. Nous / arriver avec nos instruments.

3. Julie et sa sœur / monter sur l'estrade avec leurs flûtes.

4. Le batteur / ne… pas / venir à l'école avec ses baguettes.

5. Vous / ne… pas / descendre de l'estrade.

B Compose des questions. Réponds aux questions suivant le modèle.

1. Elvis / arriver sur la scène musicale.

2. Le reggae / devenir populaire.

3. Les Beatles / arriver aux États-Unis.

4. Le punk-rock / naître.

5. U2 / rester un des plus importants groupes.

> **MODÈLE**
>
> – Quand est-ce qu'Elvis est arrivé sur la scène musicale?
>
> – Il est arrivé sur la scène musicale dans les années 1950.

a) dans les années 2000.

b) dans les années 1960.

c) dans les années 1950.

d) dans les années 1970.

e) du monde.

▶ **Cahier p. 144**

À la tâche

Une biographie

Prépare la biographie d'un(e) artiste ou d'un groupe sur affiche.

1 Choisis un chanteur, une chanteuse ou un groupe que tu préfères.
▶ **Cahier p. 149**

2 Prépare la biographie de ton artiste ou ton groupe par écrit. Utilise le modèle.
▶ **Cahier p. 150**

Stratégies d'écriture
Je fais un brouillon.
J'utilise un modèle.

3 Prépare ta présentation orale par écrit.
▶ **Cahier p. 151**

4 Présente ton artiste ou groupe à la classe.

Stratégie pour bien parler
Je regarde l'auditoire.

www.pearsoned.ca/quoideneuf

LES COWBOYS FRINGANTS

- Jean-François Pauzé joue de la guitare.
- Marie-Annick Lépine joue du violon et elle chante.
- Jérôme Dupras joue de la basse.
- Dominique Lebeau est batteur.
- Karl Tremblay est chanteur soliste.

- Ils jouent de la musique country, folk-rock alternative.
- Les membres du groupe sont nés à Montréal.
- Ils sont rapidement devenus populaires.
- Ils sont montés sur scène pour amuser leurs amis.
- Ils ont lancé leur premier album *Sur mon canapé* en 1998.
- Ils ont gagné un *Félix* pour *Le meilleur groupe de l'année* en 2004.
- La chanson que j'aime le plus, c'est *Les étoiles filantes*.

116

Planète-jeunes

A

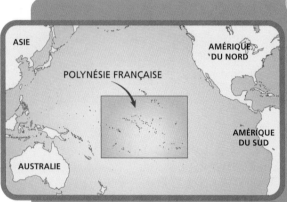

ASIE

AMÉRIQUE DU NORD

POLYNÉSIE FRANÇAISE

AMÉRIQUE DU SUD

AUSTRALIE

> Chez moi à Papeete en Polynésie française, on joue le pu au cours des cérémonies traditionelles ou pour annoncer d'importantes nouvelles.

Ioana
Papeete, Polynésie française

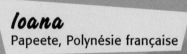

B

Sting

Sting est un artiste talentueux! Il est chanteur, compositeur, musicien, auteur, acteur, écologiste et humanitaire. Sa musique pop-rock incorpore des éléments de musique jazz, classique et du monde. Sting joue du piano, de la guitare, du saxophone, de la basse et de la mandoline!

C — Le sais-tu?

Instruments à vent…

Le saxophone soprano est un instrument à vent trés apprécié par les musiciens de jazz et de blues. On le retrouve souvent dans le pays des Cajuns — la Nouvelle-Orléans en Louisiane.

Le pu est classifié comme un instrument à vent. C'est un instrument traditionnel des îles de la Polynésie française. On souffle dans la conque et cela donne une jolie mélodie.

La cornemuse est un instrument à vent avec une poche. On souffle dans la poche, puis l'air est poussé de la poche pour jouer la mélodie sur une sorte de flûte percée de trous. On joue beaucoup de cet instrument en Écosse.

D — Zachary Richard

Zachary Richard est auteur, compositeur, chanteur et poète francophone. Sa musique reflète les styles typiques de la Louisiane où il est né. Quand il ne chante pas, il passe beaucoup de temps à encourager et protéger la langue française en Louisiane aux États-Unis.

www.pearsoned.ca/quoideneuf

Inspir-action!

A

Mes activités sportives

Tu vas…

- parler de tes activités sportives préférées;
- décrire tes expériences sportives.

B

Les événements sportifs

Tu vas…

- parler des événements sportifs que tu aimes regarder;
- préparer un reportage sportif.

C

Les sports aventures

Tu vas…

- découvrir de nouveaux sports;
- créer et présenter un nouveau sport de l'avenir.

A

Dictionnaire **visuel**

Mes activités sportives

le patin à roues alignées

la planche à roulettes

le patinage

la planche à neige

le hockey

VAIVE 22

la randonnée pédestre

le vélo

122

le soccer

la natation

l'escalade

Autres sports

le baseball
le basket-ball
la crosse
le football
la gymnastique
le jogging
le karaté
le ski alpin
le tennis
le volley-ball

1. Quelles activités sportives préfères-tu?

   ▶ **Cahier p. 154**

2. Écoute des ados parler de leurs activités sportives préférées. Quelles activités font-ils?

   ▶ **Cahier p. 155**

Stratégie d'écoute

J'utilise mes expériences personnelles.

3. Discute de tes activités sportives préférées.

MODÈLE

– Quelles activités sportives préfères-tu?

– Moi, je préfère le hockey et la natation.

Jouer et *faire*

Pour parler d'activités sportives…

Jouer à + **un jeu**

jouer **à** + **le** hockey ·······► jouer **au** hockey
au

jouer **à** + **la** crosse ·······► jouer **à la** crosse
à la

Faire de + **une activité individuelle**

faire **de** + **le** ski alpin ·······► faire **du** ski alpin
du

faire **de** + **la** natation ·······► faire **de la** natation
de la

faire **de** + **l'**escalade ·······► faire **de l'**escalade
de l'

+	−
Je joue **au** hockey.	Je **ne** joue **pas au** hockey.
Je joue **à la** crosse.	Je **ne** joue **pas à la** crosse.
Je fais **du** ski alpin.	Je **ne** fais **pas de** ski alpin.
Je fais **de la** natation.	Je **ne** fais **pas de** natation.
Je fais **de l'**escalade.	Je **ne** fais **pas d'**escalade.

Attention! ne… pas + du / de la / de l' / des = de / d'

À ton tour!

A **Complète les phrases avec *au* ou *à la*.**

Exemple : Je joue ⬜ soccer.
Je joue **au** soccer.

1. Sami joue ⬜ hockey.

2. Vous jouez ⬜ baseball.

3. Nous jouons ⬜ crosse.

4. Est-ce que tu joues ⬜ basket-ball?

5. Sarah et Jessica jouent ⬜ volley-ball.

B **Complète les phrases avec *du, de la* ou *de l'*.**

Exemple : Je fais ⬜ ski alpin.
Je fais **du** ski alpin.

1. Elle fait ⬜ randonnée pédestre.

2. Ils font ⬜ karaté.

3. Je fais ⬜ vélo.

4. Mes amis font ⬜ natation.

5. Vous faites ⬜ escalade.

C **Mets les phrases de la Partie B au négatif.**

D **Compose des questions. Réponds aux questions selon le modèle.**

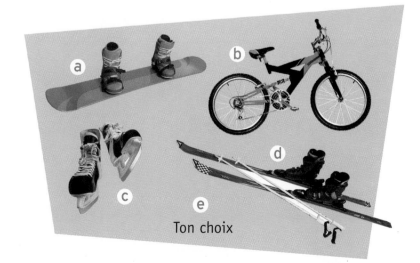

Ton choix

MODÈLE

– Est-ce que tu fais du karaté?

– Oui, je fais du karaté.

ou

– Non, je ne fais pas de karaté.

▶ Cahier p. 156

La parole aux ados

Au lac...

B

Dans les montagnes...

C

À l'aréna...

D

Au parc...

1. Regarde les images. Quelles activités sportives font ces ados?

2. Écoute des ados parler de leurs activités préférées et de leurs objets souvenirs.

   ▶ **Cahier p. 159**

Cahier p. 159

$tratégie d'écoute

J'utilise mes expériences personnelles.

3. Joue à un jeu pour deviner l'activité sportive de ton ou ta partenaire.

MODÈLE

– On fait cette activité en hiver. On fait cette activité dans les montagnes.

– Est-ce que c'est la planche à neige?

– Oui, c'est ça!

ou

– Non, devine encore.

4. Quelles activités sportives sont populaires chez les ados d'autres pays?

   ▶ **Livre pp. 132-133**

Livre pp. 132-133

127

Comment ça marche?

Les verbes suivis d'une préposition

Pour parler de nos activités...

J'aime beaucoup les sports d'hiver. J'**ai appris** à faire du ski alpin à l'âge de 7 ans.

J'**ai commencé** à faire de la planche à neige l'an dernier.

J'**ai continué** à pratiquer chaque fin de semaine.

Finalement, j'**ai réussi** à descendre la colline sans tomber!

Quelle est la règle?

apprendre à
commencer à
continuer à
réussir à

} + un verbe à l'infinitif

À ton tour!

A Compose des phrases au passé composé. N'oublie pas d'ajouter *à* après le verbe.

Exemple : Vous / commencer / jouer au volley-ball.
Vous **avez commencé à** jouer au volley-ball.

1. Mes amis / commencer / faire de la planche à roulettes.

2. Je / apprendre / jouer au soccer.

3. Elle / continuer / faire du patinage.

4. Nous / réussir / gagner le trophée.

B Regarde les images. Compose des phrases avec les mots indiqués et un choix de la boîte.

Exemple : elle / réussir
Elle **a réussi à** gagner la médaille d'or.

1. ils / réussir

2. elle / apprendre

3. elles / commencer

4. il / continuer

CHOIX

✓ • gagner la médaille d'or
• faire de la natation
• faire de la planche à neige
• faire du ski
• gagner le match

▶ Cahier p. 162

Mes expériences sportives

Écris un paragraphe décrivant tes expériences sportives.

1 Réfléchis à tes activités sportives du passé et du présent.

▶ **Cahier p. 166**

2 Fais un plan. Utilise un modèle pour faire ton brouillon.

▶ **Cahier p. 167**

Stratégies d'écriture

Je vérifie mon texte. Je demande à un ou une partenaire de vérifier mon texte.

3 Présente tes expériences sportives à la classe.

Stratégie pour bien parler

Je varie l'intonation et le ton de ma voix.

www.pearsoned.ca/quoideneuf

1

2

Mes expériences sportives

Comme enfant, j'ai fait beaucoup de sports. J'ai appris à patiner à l'âge de 4 ans. J'ai commencé à jouer au hockey à l'âge de 6 ans. À l'âge de 7 ans, j'ai fait du ski, mais je n'ai pas aimé ce sport. J'ai appris à nager à l'âge de 5 ans. J'ai commencé à jouer au baseball à l'âge de 7 ans. J'aime toujours le baseball. C'est mon sport préféré.

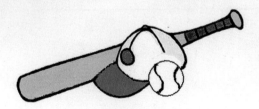

Planète-jeunes

> Mon activité préférée, c'est le surf. J'ai commencé à faire du surf à l'âge de 10 ans.

ASIE

AMÉRIQUE DU NORD

POLYNÉSIE FRANÇAISE

AMÉRIQUE DU SUD

AUSTRALIE

Kiri,
Tahiti, Polynésie française

Le sais-tu?

Il y a plus de 3 000 ans que le sport du surf est pratiqué en Polynésie. Les habitants ont découvert que faire du surf avec des planches en bois dur était une manière très efficace de pêcher. Le surf est toujours un sport très populaire en Polynésie.

C

La lutte au Sénégal, Afrique

Le sport traditionnel du Sénégal, c'est la lutte. Autrefois, au Sénégal, après une bonne récolte ou une bonne pêche, on faisait la fête au village. Des tournois de lutte étaient organisés pendant la fête pour déterminer le champion du village.

la lutte

D

La rando du dimanche à Paris

La rando du dimanche est une randonnée de patins à roues alignées gratuite qui a lieu tous les dimanches après-midi à Paris. Elle commence à 14 h 30 et finit vers 17 h 30 après une vingtaine de kilomètres. La route change chaque semaine et des milliers de gens de tous les âges y participent!

www.pearsoned.ca/quoideneuf

133

Les événements sportifs

lutter

patiner

sauter

le patinage artistique

le plongeon

la nage synchronisée

le ski acrobatique

le saut en longueur

la course automobile

la natation

le patinage de vitesse

le marathon

le saut à ski

la lutte

le saut en hauteur

la course en fauteuil roulant

plonger

skier

courir

nager

1. Regarde les images et les pictogrammes. Associe chaque image à un pictogramme.

2. À quels événements sportifs est-ce que tu as déjà participé?

3. Quels événements sportifs est-ce que tu aimes regarder?

   ▶ Cáhier p. 169

4. Écoute des ados parler d'événements sportifs.

   ▶ Cahier p. 170

Stratégie d'écoute

J'utilise mes expériences personnelles.

5. Discute de tes événements sportifs préférés.

MODÈLE

– Quels événements sportifs aimes-tu regarder?

– Moi, j'aime regarder le plongeon et le ski acrobatique.

Comment ça marche?

Le comparatif et le superlatif de *bien*

Pour comparer des actions...

A.

Christine patine **bien**.

Manon patine **mieux que** Christine.

C'est Sylvie qui patine **le mieux**.

B.

Les Américains jouent **bien** au hockey.

Les Suédois jouent **mieux que** les Américains au hockey.

Ce sont les Canadiens qui jouent **le mieux** au hockey.

Quelle est la règle?

★	★ ★	★ ★ ★
bien	mieux que	le mieux

À ton tour!

A Compose des phrases comparatives. Utilise *mieux que*.

Exemple : James patine bien. Tyler…
Tyler patine **mieux que** James.

1. Sophie court bien. Julie…

2. Khalid lutte bien. Raymond…

3. Marie nage bien. Nadia…

4. Chris joue bien. Antonio…

B Regarde le tableau. Compose une phrase comparative et une phrase superlative pour chaque numéro. Utilise *mieux que* et *le mieux*.

Exemple : Cassie joue **mieux que** Melissa. C'est Anna qui joue **le mieux**.

	★	★ ★	★ ★ ★
Exemple : jouer	Melissa	Cassie	Anna
1. plonger	Tom	Kurt	Pierre
2. courir	Lise	Marthe	Sonia
3. patiner	Richard	Éric	Bradley
4. lutter	Carlos	Nick	Jean

C Regarde l'image. Compose trois phrases pour comparer les athlètes. Utilise le verbe *sauter*.

▶ Cahier p. 171

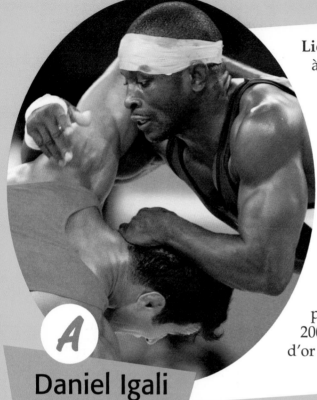

A Daniel Igali

Lieu et date de naissance : Daniel Igali est né à Eniwari, Nigeria, en 1974.

Début : À l'âge de 16 ans, Igali a participé à plusieurs compétitions de lutte en Nigeria.

À noter : En 1994, après une compétition de lutte aux Jeux du Commonwealth à Victoria, Igali est resté au Canada. Seul dans un pays étranger, Daniel a continué son éducation et son entraînement. Igali s'est blessé plusieurs fois au cours de sa carrière. Malgré ces obstacles, en 1999, il a participé aux Championnats du monde. Il a gagné la première médaille d'or en lutte pour le Canada! Aux Jeux olympiques de 2000, Igali a de nouveau gagné une médaille d'or en lutte pour le Canada.

B Chantal Petitclerc

Lieu et date de naissance : Chantal Petitclerc est née à Saint-Marc-des-Carrières, Québec, en 1969.

Début : À l'âge de 13 ans, Petitclerc est devenue paraplégique à la suite d'un accident. Après son accident, elle a commencé sa carrière d'athlète.

À noter : À l'âge de 18 ans, elle a participé à sa première course en fauteuil roulant à Sherbrooke. Depuis ce temps, Petitclerc a participé aux Jeux paralympiques en Espagne, aux États-Unis et en Grèce. Elle est revenue au Canada avec 16 médailles paralympiques et une médaille d'or aux Jeux olympiques de 2004. En plus, elle a battu trois records mondiaux!

Mario Lemieux

Lieu et date de naissance : Mario Lemieux, surnommé Super Mario et Mario le Magnifique, est né à Montréal, Québec, en 1965.

Début : Il est devenu joueur de hockey à l'âge de trois ans.

À noter : En 1984, Lemieux est allé à Pittsburgh pour jouer sa première saison avec l'équipe des Penguins de Pittsburgh. Cette saison-là, il a marqué 100 points! Pendant la Coupe Canada en 1997, il a marqué le point décisif en finale contre l'URSS. En 2002, il a gagné une médaille d'or aux Jeux olympiques. Pendant sa carrière de 17 saisons, il a marqué 690 points et 1 033 aides et son équipe a gagné deux Coupes Stanley! De plus, Lemieux a surmonté une grave blessure au dos et un cancer. Lemieux a pris sa retraite en 2006.

1. Regarde les images. Connais-tu ces athlètes?

2. Quelles informations est-ce qu'on trouve dans un profil d'athlète?

3. Lis les profils pour confirmer tes prédictions.

   ▶ Cahier p. 175

Stratégie de lecture

Je cherche des mots de la même famille.

4. Participe au jeu *Qui suis-je?* pour identifier des athlètes.

MODÈLE

- Es-tu une femme?
- Non.
- Est-ce que tu joues au hockey?
- Oui.
- Es-tu Mats Sundin?
- Oui!

5. Quels athlètes et événements sportifs sont populaires dans d'autres pays?

▶ Livre pp. 144-145

Le passé composé avec *être*

Pour parler des actions au passé...

Elle **est arrivée** en première place.

Arriver

je **suis** arriv**é(e)**	nous **sommes** arriv**é(e)s**
tu **es** arriv**é(e)**	vous **êtes** arriv**é(e)(s)**
il **est** arriv**é**	ils **sont** arriv**és**
elle **est** arriv**ée**	elles **sont** arriv**ées**

Quelle est la règle?

Pour les verbes conjugués avec *être* au passé composé, n'oublie pas *Dr. et Mrs. Vandertramp.*

devenir – devenu*
revenir – revenu*

monter – monté
rester – resté
sortir – sorti

venir – venu*
aller – allé
naître – né*
descendre – descendu
entrer – entré
rentrer – rentré
tomber – tombé
retourner – retourné
arriver – arrivé
mourir – mort*
partir – parti

* Ces participes passés sont irréguliers.

Conjugaisons de verbes pp. 158-163

+	−
Les participants **sont tombés** au début de la course.	Les participants **ne sont pas tombés** au début de la course.
Diane **est arrivée** en première place.	Diane **n'est pas arrivée** en première place.
Martin **est né** à Montréal.	Martin **n'est pas né** à Montréal.

À ton tour!

A Choisis un élément de chaque colonne pour composer des phrases.

Exemple : Les nageurs sont retournés à la piscine.

1. Les nageurs ✓
2. Nadia
3. Deux skieurs
4. L'athlète
5. Marie et Louise

a) sont arrivées en avance pour le match.

b) est resté calme.

c) sont retournés à la piscine. ✓

d) est arrivée en première place.

e) sont tombés sur la piste durant la compétition.

B Compose des phrases au passé composé.

Exemple : Sonia / arriver / en dernière place.
Sonia **est arrivée** en dernière place.

1. Paul / naître / à Vancouver.

2. Louise et Josée / descendre / de la montagne à toute vitesse.

3. Le cycliste / monter / sur le podium pour accepter sa médaille.

4. Les skieurs / ne… pas / arriver / hier soir.

▶ **Cahier p. 177**

LES PRONOMS *LUI, LEUR*

Au présent

On **lui** donne une médaille d'or.

Chantal Petitclerc

Au passé composé

On **lui** a donné une médaille d'or.

On **leur** donne une médaille d'or.

Membres de l'Équipe nationale féminine canadienne

On **leur** a donné une médaille d'or.

▶ **Cahier p. 182**

À la tâche

Un reportage sportif

Prépare un reportage sportif sur un(e) athlète de ton choix.

1 Choisis un(e) athlète pour ton reportage.

▶ **Cahier p. 183**

2 Crée une fiche d'athlète. Utilise le modèle.

▶ **Cahier p. 184**

$tratégies d'écriture

Je vérifie mon texte.
Je demande à un ou une partenaire de vérifier mon texte.

3 Prépare la présentation orale de ton athlète. Utilise un modèle.

▶ **Cahier p. 185**

4 Présente ton reportage sportif à la classe.

$tratégie pour bien parler

Je varie l'intonation et le ton de ma voix.

www.pearsoned.ca/quoideneuf

1

2

Fiche d'athlète :
Hayley Wickenheiser

Lieu et date de naissance

Hayley Wickenheiser est née à Shaunavon, Saskatchewan, en 1978.

Début

Wickenheiser a commencé à jouer au hockey à l'âge de 8 ans.

À noter

À l'âge de 25 ans, elle est allée à Helsinki en Finlande pour jouer au hockey dans une ligue professionnelle masculine.

Elle est la première femme à jouer dans une ligue professionnelle masculine. Elle est aussi la première femme à marquer un but dans cette ligue!

Selon plusieurs spectateurs, Wickenheiser a joué mieux que beaucoup d'hommes dans la ligue.

Wickenheiser a aussi joué pour l'Équipe nationale féminine canadienne. Aux Jeux olympiques d'hiver 2002 et 2006, l'équipe a gagné la médaille d'or.

Hayley Wickenheiser

Planète-jeunes

> Mon idole du soccer est Zinedine Zidane. Chez nous, en France, on l'appelle *Zizou*. Il est français, mais d'origine algérienne comme moi. Il a aidé la France à gagner la Coupe du Monde en 1998 contre le Brésil et il a marqué 2 buts... de la tête!

A

ALGÉRIE

AFRIQUE

Karim
Marseille, France

B

Le sais-tu?

Le soccer est un sport joué depuis plus de 2 000 ans! Les Chinois, les Grecs et les Romains anciens jouaient tous une version du soccer. Au 14e siècle, le roi Édouard III, a interdit le soccer parce qu'il trouvait que le jeu était une distraction pour les soldats qui devaient s'entraîner pour la guerre. Trop tard! Le sport était déjà devenu trop populaire.

C

Le Tour de France

Le Tour de France est une course à vélo super longue et difficile! Le gagnant de chaque étape porte un maillot jaune. Lance Armstrong a gagné sept Tours de France et il est un survivant courageux du cancer!

La course
Longueur? 3 000 kilomètres
Où? travers toute la France, y compris les Alpes ou les Pyrénées
Durée? environ 3 semaines

D

Le tour de la Martinique en Yoles Rondes

Chaque année, en Martinique, il y a une course de bateaux à voiles traditionnelles, Yoles Rondes, qui est unique à ce pays. Chaque année, la course commence au mois d'août et dure une semaine. Ce sport national est la compétition la plus importante de l'année.

www.pearsoned.ca/quoideneuf

145

Les sports aventures

la planche nautique

la nage en eau vive

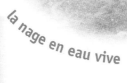

le parapente

le deltaplane

le saut à l'élastique

le BMX

le canyonisme

l'héliski

la planche à roulettes
extrême

le roller agressif

l'ultramarathon

1. Regarde les images.
   Quels sports
   t'intéressent?

   ▶ **Cahier p. 186**

2. Écoute des ados
   parler de leurs
   expériences avec ces
   sports.

   ▶ **Cahier p. 187**

Stratégie d'écoute

J'utilise mes expériences
personnelles.

3. Parle de ton sport
   aventure préféré.

MODÈLE

- Selon toi, quel sport
  aventure est amusant?

- Le BMX est un sport aventure
  amusant.

- Veux-tu essayer ce sport?

- Oui.

ou

- Non, je préfère regarder ce
  sport.

Les conjonctions

Pour joindre des idées...

- On peut regarder la planche nautique **ou** le BMX cet après-midi.

- La planche nautique est un sport passionnant **et** fantastique!

- Oui, c'est un sport fantastique, **mais** difficile.

- J'aime les sports nautiques, **donc** je choisis la planche nautique.

| La planche nautique | 14 : 00 h |
| Le BMX | 14 : 00 h |

Quelle est la règle?

Conjonction	Pour joindre des idées
et (une addition)	**+** passionnant **et** fantastique
mais (un contraste)	**≠** fantastique, **mais** difficile
ou (un choix)	la planche nautique **ou** le BMX
donc (une conséquence)	J'aime les sports nautiques, **donc** je choisis la planche nautique.

À ton tour!

A Complète les phrases avec la bonne conjonction : *et*, *mais*, *ou*, *donc*.

Exemple : Jean n'aime pas l'eau,   il ne s'intéresse pas à la planche nautique.
Jean n'aime pas l'eau, **donc** il ne s'intéresse pas à la planche nautique.

1. Quel sport choisis-tu : le deltaplane   le parapente?

2. Elles sont aventureuses,   elles aiment les sports aventures.

3. Pour faire de l'héliski, il faut être courageux   en bonne forme.

4. La nage en eau vive est un sport passionnant,   difficile.

5. Simon aime l'héliski,   il préfère le BMX.

6. Est-ce que tu préfères le canyonisme   le saut à l'élastique?

7. J'aime regarder le BMX   la course automobile à la télévision.

8. Il a trop peur,   il ne veut pas essayer la planche à roulettes extrême.

B Compose des questions. Réponds aux questions selon le modèle.

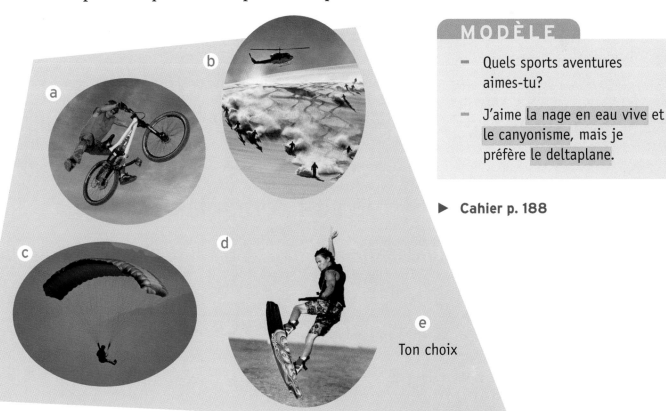

MODÈLE

– Quels sports aventures aimes-tu?

– J'aime la nage en eau vive et le canyonisme, mais je préfère le deltaplane.

▶ Cahier p. 188

Ton choix

Des sports originaux

A le snowscoot

B le skysurf

C le surf cerf-volant

D

le ski cerf-volant

E

le monocycle

1. Regarde les images. À ton avis, quel sport est le plus dangereux? Le plus bizarre? Le plus amusant? Le plus facile?

2. Écoute des ados proposer des sports pour les Jeux olympiques de l'avenir.

   ▶ **Cahier p. 191**

𝓢tratégie
d'écoute

J'utilise mes expériences personnelles.

3. Participe à une chaîne orale. Identifie le sport que tu feras dans l'avenir.

   jeu

MODÈLE

– Moi, je ferai du skysurf.

– Moi, je ferai du surf cerf-volant. Annie fera du skysurf.

– Moi, je ferai du monocycle. William fera du surf cerf-volant et Annie fera du skysurf.

– etc.

4. Quels sports originaux sont populaires dans d'autres pays?

   ▶ **Livre pp. 156-157**

C Comment ça marche?

Le futur simple

Pour parler des actions dans l'avenir...

1. Dans l'avenir, je **ferai** du sport aventure.
2. Je **choisirai** le sport le plus dangereux.
3. Je **descendrai** la piste à toute vitesse.
4. Je **gagnerai** une médaille!

Quelle est la règle?

Terminaisons	les verbes en *–er* gagner	les verbes en *–ir* choisir	les verbes en *-re* descendre
-ai	je gagnerai	je choisirai	je descendrai
-as	tu gagneras	tu choisiras	tu descendras
-a	il / elle / on gagnera	il / elle / on choisira	il / elle / on descendra
-ons	nous gagnerons	nous choisirons	nous descendrons
-ez	vous gagnerez	vous choisirez	vous descendrez
-ont	ils / elles gagneront	ils / elles choisiront	ils / elles descendront

Attention aux verbes irréguliers!

aller → *ir-*		faire → *fer-*	
j'irai	nous irons	je ferai	nous ferons
tu iras	vous irez	tu feras	vous ferez
il / elle / on ira	ils / elles iront	il / elle / on fera	ils / elles feront

Conjugaisons de verbes pp. 158–163

152

À ton tour!

A **Voici des sports fictifs de l'avenir. Complète les phrases.**

  Exemple : Dans l'avenir, on ⬜ du skisurf aux Jeux olympiques. (faire)
  Dans l'avenir, on **fera** du skisurf aux Jeux olympiques.

  1. Dans l'avenir, on ⬜ au roller-frisbee. (jouer)

  2. Dans l'avenir, on ⬜ aux Jeux olympiques virtuels. (participer)

  3. Dans l'avenir, on ⬜ une montagne en patins à roulettes! (descendre)

  4. Dans l'avenir, on ⬜ le vélo-surf pour les Jeux olympiques. (choisir)

B **Regarde l'image d'un sport de l'avenir. Complète la description ci-dessous.**

  Exemple : On **fera** ce sport dans les montagnes. (faire)

  1. On ⬜ un kayak spécial et d'autre équipement protecteur. (utiliser)

  2. On ⬜ un casque. (porter)

  3. On ⬜ à ce sport en équipes. (participer)

  4. On ⬜ à faire ce sport sur les pistes de ski en hiver. (apprendre)

  ▶ **Cahier p. 193**

À la tâche

Un sport de l'avenir

Crée un nouveau sport de l'avenir.

1 Fais un plan. Pour t'aider, tu peux combiner deux sports qui existent déjà.

▶ **Cahier p. 198**

2 Prépare ta présentation de ton sport par écrit. Utilise un modèle.

▶ **Cahier p. 199**

Stratégies d'écriture

Je vérifie mon texte.
Je demande à un ou une partenaire de vérifier mon texte.

3 Prépare une aide visuelle de ton sport.

4 Présente ton nouveau sport à la classe.

Stratégie pour bien parler

Je varie l'intonation et le ton de ma voix.

 www.pearsoned.ca/quoideneuf

3

le vélo-neige

un vélo de montagne · un hélicoptère · une planche à neige · les montagnes en hiver · un casque

4

On fera ce sport dans les montagnes en hiver et on utilisera un vélo et une planche à neige. Attention! C'est un sport dangereux, donc on portera un casque.

A

> Le surf cerf-volant est un sport aventure qui devient très populaire en France! Mon rêve, c'est de faire du surf cerf-volant comme mes héroïnes : Coralie Imbert, une championne française et Gisela Pulido, une championne espagnole.

Amélie
Côte d'Azur, France

B

Gisela Pulido

En 2005, à l'âge de 12 ans, Gisela Pulido de Barcelone a gagné deux championnats mondiaux de surf cerf-volant. C'est la plus jeune gagnante de ce prix. Elle demande au Comité olympique d'accepter le surf cerf-volant comme sport olympique.

C

Le Festival des sports extrêmes

Le festival d'été à Montpellier, en France, comprend une série de compétitions internationales de sports comme le roller agressif, la planche à roulettes extrême et le BMX. Il y a aussi des concerts de musique, des spectacles de *breakdance* et des expositions de graffiti.

D

Le sais-tu?

Pour ceux et celles qui trouvent le repassage ennuyeux, voici le sport aventure pour vous : le repassage extrême! Ce nouveau sport dangereux combine une activité sportive avec le repassage... En 2002, le championnat mondial a commencé en Allemagne avec 10 pays participants.

 www.pearsoned.ca/quoideneuf

Conjugaisons de verbes

Verbes réguliers en –er

aimer

présent	impératif	passé composé	futur
j'aime		j'ai aimé	j'aimerai
tu aimes	aime	tu as aimé	tu aimeras
il, elle, on aime		il, elle, on a aimé	il, elle, on aimera
nous aimons	aimons	nous avons aimé	nous aimerons
vous aimez	aimez	vous avez aimé	vous aimerez
ils, elles aiment		ils, elles ont aimé	ils, elles aimeront

Verbes réguliers en –ir

choisir

présent	impératif	passé composé	futur
je choisis		j'ai choisi	je choisirai
tu choisis	choisis	tu as choisi	tu choisiras
il, elle, on choisit		il, elle, on a choisi	il, elle, on choisira
nous choisissons	choisissons	nous avons choisi	nous choisirons
vous choisissez	choisissez	vous avez choisi	vous choisirez
ils, elles choisissent		ils, elles ont choisi	ils, elles choisiront

Verbes réguliers en –re

répondre

présent	impératif	passé composé	futur
je réponds		j'ai répondu	je répondrai
tu réponds	réponds	tu as répondu	tu répondras
il, elle, on répond		il, elle, on a répondu	il, elle, on répondra
nous répondons	répondons	nous avons répondu	nous répondrons
vous répondez	répondez	vous avez répondu	vous répondrez
ils, elles répondent		ils, elles ont répondu	ils, elles répondront

Verbes réfléchis

se laver

présent	impératif	passé composé	futur
je me lave		je me suis lavé(e)	je me laverai
tu te laves	lave-toi	tu t'es lavé(e)	tu te laveras
il, elle, on se lave		il, on s'est lavé	il, elle, on se lavera
		elle s'est lavée	
nous nous lavons	lavons-nous	nous nous sommes lavé(e)s	nous nous laverons
vous vous lavez	lavez-vous	vous vous êtes lavé(e)(s)	vous vous laverez
ils, elles se lavent		ils se sont lavés	ils, elles se laveront
		elles se sont lavées	

Verbes irréguliers

acheter

présent	impératif	passé composé	futur
j'achète		j'ai acheté	j'achèterai
tu achètes	achète	tu as acheté	tu achèteras
il, elle, on achète		il, elle, on a acheté	il, elle, on achètera
nous achetons	achetons	nous avons acheté	nous achèterons
vous achetez	achetez	vous avez acheté	vous achèterez
ils, elles achètent		ils, elles ont acheté	ils, elles achèteront

aller

présent	impératif	passé composé	futur
je vais		je suis allé(e)	j'irai
tu vas	va	tu es allé(e)	tu iras
il, elle, on va		il, on est allé	il, elle, on ira
		elle est allée	
nous allons	allons	nous sommes allé(e)s	nous irons
vous allez	allez	vous êtes allé(e)s	vous irez
		ils sont allés	ils, elles iront
ils, elles vont		elles sont allées	

avoir

présent	impératif	passé composé	futur
j'ai		j'ai eu	j'aurai
tu as	aie	tu as eu	tu auras
il, elle, on a		il, elle, on a eu	il, elle, on aura
nous avons		nous avons eu	nous aurons
vous avez	ayons	vous avez eu	vous aurez
ils, elles ont	ayez	ils, elles ont eu	ils, elles auront

battre

présent	impératif	passé composé	futur
je bats		j'ai battu	je battrai
tu bats	bats	tu as battu	tu battras
il, elle, on bat		il, elle, on a battu	il, elle, on battra
nous battons	battons	nous avons battu	nous battrons
vous battez	battez	vous avez battu	vous battrez
ils, elles battent		ils, elles ont battu	ils, elles battront

boire

présent	impératif	passé composé	futur
je bois		j'ai bu	je boirai
tu bois	bois	tu as bu	tu boiras
il, elle, on boit		il, elle, on a bu	il, elle, on boira
nous buvons	buvons	nous avons bu	nous boirons
vous buvez	buvez	vous avez bu	vous boirez
ils, elles boivent		ils, elles ont bu	ils, elles boiront

commencer

présent	impératif	passé composé	futur
je commence		j'ai commencé	je commencerai
tu commences	commence	tu as commencé	tu commenceras
il, elle, on commence		il, elle, on a commencé	il, elle, on commencera
nous commençons	commençons	nous avons commencé	nous commencerons
vous commencez	commencez	vous avez commencé	vous commencerez
ils, elles commencent		ils, elles ont commencé	ils, elles commenceront

comprendre

présent	impératif	passé composé	futur
je comprends		j'ai compris	je comprendrai
tu comprends	comprends	tu as compris	tu comprendras
il, elle, on comprend		il, elle, on a compris	il, elle, on comprendra
nous comprenons	comprenons	nous avons compris	nous comprendrons
vous comprenez	comprenez	vous avez compris	vous comprendrez
ils, elles comprennent		ils, elles ont compris	ils, elles comprendront

connaître

présent	impératif	passé composé	futur
je connais		j'ai connu	je connaîtrai
tu connais	connais	tu as connu	tu connaîtras
il, elle, on connaît		il, elle on a connu	il, elle, on connaîtra
nous connaissons	connaissons	nous avons connu	nous connaîtrons
vous connaissez	connaissez	vous avez connu	vous connaîtrez
ils, elles connaissent		ils, elles ont connu	ils, elles connaîtront

courir

présent	impératif	passé composé	futur
je cours		j'ai couru	je courrai
tu cours	cours	tu as couru	tu courras
il, elle, on court		il, elle, on a couru	il, elle, on courra
nous courons	courons	nous avons couru	nous courrons
vous courez	courez	vous avez couru	vous courrez
ils, elles courent		ils, elles ont couru	ils, elles courront

devoir

présent	impératif	passé composé	futur
je dois	(très rare)	j'ai dû	je devrai
tu dois	dois	tu as dû	tu devras
il, elle, on doit		il, elle, on a dû	il, elle, on devra
nous devons	devons	nous avons dû	nous devrons
vous devez	devez	vous avez dû	vous devrez
ils, elles doivent		ils, elles ont dû	ils, elles devront

dire

présent	impératif	passé composé	futur
je dis		j'ai dit	je dirai
tu dis	dis	tu as dit	tu diras
il, elle, on dit		il, elle, on a dit	il, elle, on dira
nous disons	disons	nous avons dit	nous dirons
vous dites	dites	vous allez dit	vous direz
ils, elles disent		ils, elles ont dit	ils, elles diront

écrire

présent	impératif	passé composé	futur
j'écris		j'ai écrit	j'écrirai
tu écris	écris	tu as écrit	tu écriras
il, elle, on écrit		il, elle, on a écrit	il, elle, on écrira
nous écrivons	écrivons	nous avons écrit	nous écrirons
vous écrivez	écrivez	vous avez écrit	vous écrirez
ils, elles écrivent		ils, elles ont écrit	ils, elles écriront

être

présent	impératif	passé composé	futur
je suis		j'ai été	je serai
tu es	sois	tu as été	tu seras
il, elle, on est		il, elle, on a été	il, elle, on sera
nous sommes	soyons	nous avons été	nous serons
vous êtes	soyez	vous avez été	vous serez
ils, elles sont		ils, elles ont été	ils, elles seront

faire

présent	impératif	passé composé	futur
je fais		j'ai fait	je ferai
tu fais	fais	tu as fait	tu feras
il, elle, on fait		il, elle, on a fait	il, elle, on fera
nous faisons	faisons	nous avons fait	nous ferons
vous faites	faites	vous avez fait	vous ferez
ils, elles font		ils, elles ont fait	ils, elles feront

lire

présent	impératif	passé composé	futur
je lis		j'ai lu	je lirai
tu lis	lis	tu as lu	tu liras
il, elle, on lit		il, elle, on a lu	il, elle, on lira
nous lisons	lisons	nous avons lu	nous lirons
vous lisez	lisez	vous avez lu	vous lirez
ils, elles lisent		ils, elles ont lu	ils, elles liront

manger

présent	impératif	passé composé	futur
je mange		j'ai mangé	je mangerai
tu manges	mange	tu as mangé	tu mangeras
il, elle, on mange		il, elle, on a mangé	il, elle, on mangera
nous mangeons	mangeons	nous avons mangé	nous mangerons
vous mangez	mangez	vous avez mangé	vous mangerez
ils, elles mangent		ils, elles ont mangé	ils, elles mangeront

mélanger

présent	impératif	passé composé	futur
je mélange		j'ai mélangé	je mélangerai
tu mélanges	mélange	tu as mélangé	tu mélangeras
il, elle, on mélange		il, elle, on a mélangé	il, elle, on mélangera
nous mélangeons	mélangeons	nous avons mélangé	nous mélangerons
vous mélangez	mélangez	vous avez mélangé	vous mélangerez
ils, elles mélangent		ils, elles ont mélangé	ils, elles mélangeront

mettre

présent	impératif	passé composé	futur
je mets		j'ai mis	je mettrai
tu mets	mets	tu as mis	tu mettras
il, elle, on met		il, elle, on a mis	il, elle, on mettra
nous mettons	mettons	nous avons mis	nous mettrons
vous mettez	mettez	vous avez mis	vous mettrez
ils, elles mettent		ils, elles ont mis	ils, elles mettront

pouvoir

présent	impératif	passé composé	futur
je peux	(pas d'impératif)	j'ai pu	je pourrai
tu peux		tu as pu	tu pourras
il, elle, on peut		il, elle, on a pu	il, elle, on pourra
nous pouvons		nous avons pu	nous pourrons
vous pouvez		vous avez pu	vous pourrez
ils, elles peuvent		ils, elles ont pu	ils, elles pourront

préférer

présent	impératif	passé composé	futur
je préfère		j'ai préféré	je préférerai
tu préfères	préfère	tu as préféré	tu préféreras
il, elle, on préfère		il, elle, on a préféré	il, elle, on préférera
nous préférons	préférons	nous avons préféré	nous préférerons
vous préférez	préférez	vous avez préféré	vous préférerez
ils, elles préfèrent		ils, elles ont préféré	ils, elles préféreront

prendre

présent	impératif	passé composé	futur
je prends		j'ai pris	je prendrai
tu prends	prends	tu as pris	tu prendras
il, elle, on prend		il, elle, on a pris	il, elle, on prendra
nous prenons	prenons	nous avons pris	nous prendrons
vous prenez	prenez	vous avez pris	vous prendrez
ils, elles prennent		ils, elles ont pris	ils, elles prendront

venir

présent	impératif	passé composé	futur
je viens		je suis venu(e)	je viendrai
tu viens	viens	tu es venu(e)	tu viendras
il, elle, on vient		il, on est venu	il, elle, on viendra
		elle est venue	
nous venons	venons	nous sommes venu(e)s	nous viendrons
vous venez	venez	vous êtes venu(e)s	vous viendrez
ils, elles viennent		ils sont venus	ils, elles viendront
		elles sont venues	

voir

présent	impératif	passé composé	futur
je vois		j'ai vu	je verrai
tu vois	vois	tu as vu	tu verras
il, elle, on voit		il, elle, on a vu	il, elle, on verra
nous voyons	voyons	nous avons vu	nous verrons
vous voyez	voyez	vous avez vu	vous verrez
ils, elles voient		ils, elles ont vu	ils, elles verront

vouloir

présent	impératif	passé composé	futur
je veux	(très rare)	j'ai voulu	je voudrai
tu veux	veux (veuille)	tu as voulu	tu voudras
il, elle, on veut		il, elle, on a voulu	il, elle, on voudra
nous voulons	voulons	nous avons voulu	nous voudrons
vous voulez	voulez (veuillez)	vous avez voulu	vous voudrez
ils, elles veulent		ils, elles ont voulu	ils, elles voudront

Lexique

adj.	adjectif
	(*inv.* invariable)
adv.	adverbe
conj.	conjonction
exp.	expression
loc.	locution
n.m.	nom masculin
n.f.	nom féminin
n. propre	nom propre
pl.	pluriel
prép.	préposition
pron.	pronom
pron. pers.	pronom personnel
v.	verbe

A

à quelle heure *exp.* at what time
à toute vitesse *exp.* at full speed
à travers *loc.* throughout
acheter *v.* to buy
actif, active *adj.* active, athletic
admirer *v.* to admire
une **affiche** *n.f.* poster
une **affiche publicitaire** *n.f.* advertisement
afficher *v.* to display, to post
agréable *adj.* pleasant
l'**ail** *n.m.* garlic
les **airs** *n.m.pl.* the skies
ajouter *v.* to add
un **aliment de base** *n.m.* staple food
l'**Allemagne** *n. propre* Germany
aller *v.* to go
ambitieux, ambitieuse *adj.* ambitious
amitiés *n.f.pl.* all the very best, kind regards
s'**amuser** *v.* to have fun
l'**ananas** *n.m.* pineapple
des **anchois** *n.m.pl.* anchovies
une **annonce publicitaire** *n.f.* advertisement
annuellement *adv.* annually
après *adv.* after
l'**après-midi** *n.m.* afternoon
apprécié(e) *adj.* appreciated

apprendre *v.* to learn
un **aréna** *n.m.* skating arena
arriver de bonne heure *exp.* to arrive early
associer *v.* to associate, to link
attendre *v.* to wait
au bord de (l'eau) *loc.* by the lake/river/sea
l'**auditoire** *n.m.* audience
aussi *adv.* also
un(e) **auteur(e)** *n.m., f.* author
un **autobus** *n.m.* bus
à l'**avance** *loc.* ahead of time
l'**avenir** *n.m.* future
aventureux, aventureuse *adj.* adventurous
avoir *v.* to have
avoir besoin de *exp.* to need, to require
avoir peur *exp.* to be afraid

B

les **baguettes** *n.f. pl.* drumsticks
une **banane** *n.f.* banana
une **barre de chocolat** *n.f.* chocolate bar
une **barre granola** *n.f.* granola bar
un(e) **bassiste** *n.m., f.* bass player
un **bateau à voile** *n.m.* sail boat
un **bâtonnet glacé** *n.m.* popsicle
la **batterie** *n.f.* drums
le **batteur, la batteuse** *n.m., f.* drum player
battre *v.* to beat
bavard(e) *adj.* talkative
beaucoup *adv.* a lot
le **beurre** *n.m.* butter; le **beurre d'arachide** *n.m.* peanut butter
une **bibliothèque** *n.f.* library
un **billet** *n.m.* ticket
un **biscuit** *n.m.* cookie
bizarre *adj.* strange, weird
le **blé** *n.m.* wheat
une **blessure** *n.f.* injury, wound
un **bleuet** *n.m.* blueberry
un **blog** *n.m.* web log
le **bœuf** *n.m.* beef
boire *v.* to drink

le **bois** *n.m.* wood
une **boisson** *n.f.* drink
une **boisson gazeuse** *n.f.* soft drink
un **bol** *n.m.* bowl
bon, bonne *adj.* good
les **bonbons** *n.m.pl.* candy
le **boulanger**, la **boulangère** *n.m., f.* baker
branché(e) *adj.* updated, with the times
un **but** *n.m.* goal, objective

C

le **cacaoyer** *n.m.* cacao tree
le **café** *n.m.* coffee, coffee house
un **café au lait** *n.m.* coffee with milk
calmant(e) *adj.* calming
la **campagne** *n.f.* country
le **canyonisme** *n.m.* canyoning
captivan(e) *adj.* captivating
une **carrière** *n.f.* career
un **casque** *n.m.* helmet
célèbre *adj.* famous
le **céleri** *n.m.* celery
un **centre commercial** *n.m.* shopping centre
un **centre récréatif** *n.m.* recreational centre
un **cerf-volant** *n.m.* kite
une **chambre** *n.f.* bedroom
des **champignons** *n.m.pl.* mushrooms
une **chanson** *n.f.* song
un **chansonnier**, une **chansonnière** *n.m., f.*
  songwriter
le **chant** *n.m.* singing
un **chanteur**, une **chanteuse** *n.m., f.* singer
la **charcuterie** *n.f.* delicatessen
charmant(e) *adj.* charming
un **château de sable** *n.m.* sand castle
chauffer *v.* to heat
le **chocolat chaud** *n.m.* hot chocolate
une **chocolatine** *n.f.* pastry stuffed with chocolate
choisir *v.* to choose
un **choix** *n.m.* choice
choquant(e) *adj.* shocking
le **citron** *n.m.* lemon
une **collation** *n.f.* snack
une **colline** *n.f.* hill
comique *adj.* comical
commencer *v.* to begin

en **commun** *loc.* in common
communiquer *v.* to communicate
un **compositeur**, une **compositrice** *n.m., f.*
  composer
comprendre *v.* to understand
un **concours** *n.m.* contest
la **confiture** *n.f.* jam
connaître *v.* to know
connu(e) *adj.* known
une **coquille** *n.f.* shell
la **cornemuse** *n.f.* bagpipes
un **cornet** *n.m.* cone
une **coupe glacée** *n.f.* sundae
couper *v.* to chop, to cut
courageux, courageuse *adj.* courageous
courir *v.* to run
un **courriel** *n.m.* email message
la **course** *n.f.* racing
la **course automobile** *n.f.* car racing
un(e) **cousin(e)** *n.m., f.* cousin
une **coutume** *n.f.* custom, practice
un **craquelin** *n.m.* cracker
la **crème glacée** *n.f.* ice cream
la **crème sûre** *n.f.* sour cream
une **crêpe** *n.f.* crepe
creuser *v.* to dig
les **croustilles** *n.f.pl.* potato chips
une **cuillère à soupe** *n.f.* tablespoon
une **cuillère à thé** *n.f.* teaspoon
cuire *v.* to cook
la **cuisine** *n.f.* kitchen; **faire la cuisine** *exp.* to cook
un **cuisinier**, une **cuisinière** *n.m., f.* cook
cuit(e) *adj.* cooked
cultivé(e) *adj.* cultivated, grown
curieux, curieuse *adj.* curious

D

d'abord *adv.* first, initially
dangereux, dangereuse *adj.* dangerous
de nouveau *loc.* again
de tous les âges *exp.* all ages
le **début** *n.m.* beginning
décrire *v.* to describe
délicieux, délicieuse *adj.* delicious
le **deltaplane** *n.m.* hang gliding
demain *adv.* tomorrow

le **dépanneur** *n.m.* convenience store
un **dépliant** *n.m.* flyer
descendre *v.* to descend, to go down
désorganisé(e) *adj.* disorganized, messy
deviner *v.* to guess
devoir *v.* to have to
difficile *adj.* difficult
diffusé(e) *adj.* broadcasted
dire *v.* to say
un **disque compact** *n.m.* compact disc
une **distributrice** *n.f.* vending machine
doré(e) *adj.* golden
le **dos** *n.m.* back
dur(e) *adj.* hard

E

l'**eau** *n.f.* water
l'**eau vive** *n.f.* white water
échanger *v.* to exchange
éclater *v.* to explode
écouter *v.* listen
écrire *v.* to write
les **effets spéciaux** *n.m.pl.* special effects
efficace *adj.* effective
électrifiant(e) *adj.* electrifying
émouvant(e) *adj.* emotional, moving
en bonne forme *exp.* in good shape, physically fit
un **endroit** *n.m.* location, place
énergique *adj.* energetic
enfin *adv.* at last, finally
ennuyeux, ennuyeuse *adj.* boring
ensemble *adv.* together
ensuite *adv.* then
un **entraînement** *n.m.* training
une **équipe** *n.f.* team
l'**escalade** *n.f.* mountain climbing
l'**espace** *n.m.* space
essayer *v.* to try
l'**estrade** *n.f.* stage
les **États-Unis** *n. propre* United States
l'**été** *n.m.* summer
être *v.* to be

F

fabriquer *v.* to create, to make
fabuleux, fabuleuse *adj.* fabulous

facile *adj.* easy
facultatif, facultative *adj.* optional
faire *v.* to do
la **farine** *n.f.* flour
un **fauteuil roulant** *n.m.* wheelchair
favori, favorite *adj.* favourite
une **fête** *n.f.* party
une **fève** *n.f.* bean
fictif, fictive *adj.* fictional
un **film d'horreur** *n.m.* horror movie
la **fin de semaine** *n.f.* weekend
finalement *adv.* finally
finir *v.* to finish
flâner *v.* to loiter, to lounge about
un(e) **flûtiste** *n.m., f.* flutist
des **fonds** *n.m.pl.* funds
formidable *adj.* incredible
le **four** *n.m.* oven
frais, fraîche *adj.* fresh
une **fraise** *n.f.* strawberry
fréquemment *adv.* frequently
des **frites** *n.f.pl.* French fried potatoes
le **fromage** *n.m.* cheese
un **frottoir** *n.m.* washing board

G

un(e) **gagnant(e)** *n.m., f.* winner
gagner *v.* to win
une **garniture** *n.f.* garnish
un **gâteau** *n.m.* cake
génial(e) *adj.* brilliant
généreux, généreuse *adj.* generous
gentil, gentille *adj.* friendly
le **goût** *n.m.* taste
un **granule** *n.m.* pellet
grave *adj.* serious
grillé(e) *adj.* grilled
gros, grosse *adj.* big
la **guerre** *n.f.* war
un(e) **guitariste** *n.m., f.* guitarist

H

l'**héliski** *n.m.* helicopter skiing, heliskiing
un **héros,** une **héroïne** *n.m., f.* hero
hier *adv.* yesterday
l'**hiver** *n.m.* winter

honnête *adj.* honest
l'**huile d'olive** *n.f.* olive oil

I

ici *adv.* here
une **île** *n.f.* island
impulsif, impulsive *adj.* impulsive
inoubliable *adj.* unforgettable
un **instant** *n.m.* moment
un **instrument à vent** *n.m.* wind instrument
interdire *v.* to forbid
intéressant(e) *adj.* interesting
irritant(e) *adj.* irritating

J

le **jambon** *n.m.* ham
un **jeu** *n.m.* game
un **jeu vidéo** *n.m.* video game
les **Jeux Olympiques** *n. propre* Olympic Games
jouer *v.* to play
un **jour**, une **journée** *n.f.* day
le **jus** *n.m.* juice

L

le **lait** *n.m.* milk; le **lait au chocolat** *n.m.* chocolate
    milk
un **lait frappé** *n.m.* milkshake
la **laitue** *n.f.* lettuce
se **laver** *v.* to wash oneself
une **leçon** *n.f.* lesson
un **lecteur MP3** *n.m.* MP3 player
un **légume** *n.m.* vegetable
en **ligne** *loc.* online
lire *v.* to read
un **livre** *n.m.* book
la **lutte** *n.f.* wrestling

M

magasiner *v.* to shop
magnifique *adj.* magnificent
un **maillot** *n.m.* vest
le **maïs soufflé** *n.m.* popcorn
la **Maison Blanche** *n. propre* White House
malgré *prép.* despite
malheureusement *adv.* unfortunately
manger *v.* to eat

une **manière** *n.f.* method, way
manquer *v.* to miss
marquer *v.* to mark, to score
le **matin** *n.m.* morning
mauvais(e) *adj.* bad, terrible
une **médaille** *n.f.* medal
meilleur(e) *adj.* better
le **mélange** *n.m.* mixture
mélanger *v.* to mix
mélodieux, mélodieuse *adj.* melodious
même *adv.* also, even
une **mère** *n.f.* mother
le **métier** *n.m.* job
mettre *v.* to place, to put
des **milliers** *n.m.pl.* thousands
minuit *n.m.* midnight
un **mixeur** *n.m.* blender
un **molleton** *n.m.* sweatshirt
le **monde** *n.m.* world
le **monocycle** *n.m.* unicycle
une **montagne** *n.f.* mountain
mouillé(e) *adj.* wet
la **moutarde** *n.f.* mustard
un **musicien**, une **musicienne** *n.m., f.* musician

N

la **nage synchronisée** *n.f.* synchronized swimming
nager *v.* to swim
la **natation** *n.f.* swimming
les **noix** *n.f.pl.* nuts
noter *v.* to take note
nutritif, nutritive *adj.* nutritious

O

obstiné(e) *adj.* stubborn
un **œuf** *n.m.* egg
un **oignon** *n.m.* onion
l'**or** *n.m.* gold
un **ouragan** *n.m.* hurricane

P

le **pain** *n.m.* bread
un **palmarès** *n.m.* hit-parade
par terre *loc.* on the ground
le **parapente** *n.m.* paragliding
paraplégique *adj.* paraplegic

un **parc d'attractions** *n.m.* amusement park
parfois *adv.* sometimes
parler *v.* to speak
partir *v.* to leave
un **passe-temps** *n.m.* pastime
passionnant(e) *adj.* passionate
les **pâtes** *n.f.pl.* pasta
le **patin à roues alignées** *n.m.* inline skating
le **patinage** *n.m.* ice skating
le **patinage artistique** *n.m.* figure skating
le **patinage de vitesse** *n.m.* speed skating
patiner *v.* to ice skate
la **pauvreté** *n.f.* poverty
un **pays** *n.m.* country
pêcher *v.* to fish
une **pelle** *n.f.* shovel
penser *v.* to think about someone/something
un **petit-enfant** *n.m.* grandchild
un **peuple** *n.m.* nation, people
une **photo** *n.f.* picture
un(e) **pianiste** *n.m., f.* pianist
des **piments** *n.m.pl.* hot peppers
la **piscine** *n.f.* swimming pool
une **piste** *n.f.* track, trail
la **plage** *n.f.* beach
une **planche** *n.f.* board
la **planche nautique** *n.f.* wakeboarding
la **planche à neige** *n.f.* snowboarding
la **planche à roulettes** *n.f.* skateboarding
un **plat** *n.m.* dish
le **plongeon** *n.m.* diving
la **pluie** *n.f.* rain
plus tard *loc.* later
une **poêle** *n.f.* frying pan
des **poivrons** *n.m.pl.* bell peppers
la **Polynésie française** *n. propre* French Polynesia
une **pomme** *n.f.* apple
une **pomme de terre** *n.f.* potato
le **poulet** *n.m.* chicken
pouvoir *v.* to be allowed to do something
pratiquer *v.* to practice
préférer *v.* to prefer
préféré(e) *adj.* favourite
prendre *v.* to take
le **prix** *n.m.* cost, price
prochain(e) *adj.* next

un **projet** *n.m.* project
promouvoir *v.* to promote
protéger *v.* to protect
puis *adv.* then

Q

quand *adv.* when

R

les **raisins** *n.m.pl.* grapes
la **randonnée pédestre** *n.f.* hiking
ranger *v.* to clean up, to put away
se **rassembler** *v.* to assemble, to gather
une **recette** *n.f.* recipe
les **recherches** *n.f.pl.* research
la **récolte** *n.f.* cropping, yield
le **record mondial** *n.m.* world record
refléter *v.* to reflect
le **réfrigérateur** *n.m.* refrigerator
regarder *v.* to look, to watch
regretter *v.* to be sorry, to regret
un **repas** *n.m.* meal
le **repassage** *n.m.* ironing
répondre *v.* to answer
un **reportage** *n.m.* coverage, report
un **restaurant rapide** *n.m.* fast-food restaurant
rester *v.* to stay
un **résultat** *n.m.* result
la **retraite** *n.f.* retirement
réussir *v.* to succeed
un **rêve** *n.m.* dream
le **riz** *n.m.* rice
le **roller agressif** *n.m.* aggressive skating
rouge *adj.* red
un **rouleau de printemps** *n.m.* spring roll
la **route** *n.f.* course, road
une **rue** *n.f.* street
rythmé(e) *adj.* rhythmic

S

le **sable** *n.m.* sand
une **salade César** *n.f.* Caesar salad
une **salle de quilles** *n.f.* bowling alley
un **sandwich roulé** *n.m.* sandwich wrap
le **sang** *n.m.* blood
le **saut à l'élastique** *n.m.* bungee jumping

le **saut à ski** *n.m.* ski jumping
le **saut en hauteur** *n.m.* high jump
le **saut en longueur** *n.m.* long jump
une **saveur** *n.f.* flavour
un **seau** *n.m.* pail
la **semaine** *n.f.* week
sensible *adj.* sensitive
les **sentiments** *n.m.pl.* feelings
sérieux, sérieuse *adj.* serious
seulement *adv.* only
simultanément *adv.* simultaneously
le **sirop** *n.m.* syrup
le **sirop d'érable** *n.m.* maple syrup
le **ski acrobatique** *n.m.* acrobatic skiing
le **ski alpin** *n.m.* downhill skiing
le **ski de fond** *n.m.* cross-country skiing
la **société** *n.f.* society
une **sœur** *n.f.* sister
le **soir** *n.m.* evening
une **soirée** *n.f.* evening
un **soldat** *n.m.* soldier
une **sortie** *n.f.* outing
souffler *v.* to blow
un **sous-marin** *n.m.* submarine
un **spectateur, une spectatrice** *n.m., f.* spectator
spontané(e) *adj.* spontaneous
sportif, sportive *adj.* athletic
les **sports nautiques** *n.m.pl.* aquatic sports
une **station (télévision)** *n.f.* channel (television)
le **sucre** *n.m.* sugar
suivre des leçons *v.* to take lessons
surmonter *v.* to overcome
surnommé(e) *adj.* nicknamed
un(e) **survivant(e)** *n.m., f.* survivor
un **synthétiseur** *n.m.* synthesizer

T

talentueux, talentueuse *adj.* talented
un **tambour métallique** *n.m.* steel drum
taquin(e) *adj.* teasing

une **tarte** *n.f.* pie
une **tasse** *n.f.* cup
téléchargé(e) *adj.* downloaded
télévisé(e) *adj.* televised
la **tête** *n.f.* head
une **tomate** *n.f.* tomato
tomber *v.* to fall
touchant(e) *adj.* touching
une **tournée** *n.f.* tour
un **tournois** *n.m.* tournament
tout de suite *loc.* immediately
une **tribune** *n.f.* gallery
un(e) **trompettiste** *n.m., f.* trumpeter
les **tropiques** *n.f.pl.* tropics
un **trou** *n.m.* hole
typique *adj.* typical

V

la **valeur** *n.f.* value
le **vélo** *n.m.* biking
vendre *v.* to sell
venir *v.* to come
un **verre** *n.m.* glass
verser *v.* to pour
vert(e) *adj.* green
la **viande** *n.f.* meat
vide *adj.* empty
un **vidéoclip** *n.m.* video clip
la **vinaigrette** *n.f.* salad dressing
un(e) **violoniste** *n.m., f.* violinist
la **voile** *n.f.* sailing
voir *v.* to see
une **voiture** *n.f.* car
voler *v.* to fly
vouloir *v.* to want
un **voyage** *n.m.* trip
voyager *v.* to travel

Y

un **yogourt fouetté** *n.m.* smoothie

Index

Références

Illustrations

pp. 8-10, 14-15, 20-22, 26-27, 32-35, 38-39, 53, 60, 65, 76, 96-97, 102, 126-127 : Russ Willms/w.w.w.threeina box. com; pp. 15, 18-19, 72, 86, 90, 98, 110, 114-115, 124, 128-129, 134, 136, 152 : Kevin Cheng/Supercat Illustration; pp. 18, 30, 42, 56, 68, 80, 94, 106, 118, 132-133, 144-145, 156 : Crowle Art Group

Photographie

pp. 16-17, 22, 28-29, 40-41, 45, 54-55, 66-67, 71, 74-75, 78-79, 83, 92-93, 99, 104-105, 116-117, 130-131, 142-143, 148, 154-155 : Ray Boudreau

Photos

p. 6 : © Michael Newman/PhotoEdit; p. 7 : (en haut) ©Mark Richards/PhotoEdit, (au centre) Ryan McVay/Photodisc Green/Getty Images, (en bas) © Michael Newman/PhotoEdit; p. 12 : (A) Getty Images, (B) © Myrleen Ferguson Cate/PhotoEdit, (C) Blend Images/First Light; p. 13 : (D) digitalvision/ Getty Images, (E) Stock Image/Firstlight.ca, (F à gauche) © David Young-Wolff/PhotoEdit, (F à droite) © Louise Gubb/CORBIS SABA; p. 16 : (en haut) John Terence Turner/Taxi/Getty Images; p. 18 : Kareem Black/Stone+/Getty Images; p. 19 : © Gareth Brown/ CORBIS; p. 24 : (A) Index Stock Imagery/ Maxximages, (B) © Reuters/CORBIS; p. 25 : (C) Tanya Constantine/Photodisc Red/Getty Images; p. 28 : CP/Ryan Remiorz; p. 30 : (en haut) Creatas/ Maxximages, (en bas) ITSF - International Table Soccer Federation, France; p. 31 : ITSF - International Table Soccer Federation, France; p. 42 : (en haut à gauche) James Woodson/digitalvision/Getty Images, (en haut à gauche) Châteaux de sable des îles - www.ilesdelamadeleine.com, (en bas) © Kevin Fleming/CORBIS, Stephen Oliver/Dorling Kindersley/Getty Images, Kieran Scott/Stone/Getty Images; p. 43 : Photo by D. Gomberg; p. 44 : FW Productions/Brandx Pictures; p. 45 : (au centre) © C. Schmidt/zefa/Corbis, (en bas) © Royalty-Free/ Corbis; p. 46 : (de gauche à droite) Comstock./Jupiter

Media, Picture Arts/First Light, Comstock./Jupiter Media, Foodcollection/Getty Images, Comstock./ Jupiter Media, Picture Arts/First Light, Comstock./ Jupiter Media, Picture Arts/First Light, PAL/DK Images, Comstock/ Jupiter Media, Comstock./Jupiter Media, Picture Arts/First Light, Comstock./Jupiter Media, Comstock/ Jupiter Media, Comstock./Jupiter Media, Comstock./Jupiter Media, Comstock/Jupiter Media; p. 47 : (de haut en bas) Comstock/Jupiter Media, Comstock/Jupiter Media, Comstock/Jupiter Media, Brandx/First Light, Comstock/Jupiter Media, PAL/DK Images, PAL/DK Images, PAL/DK Images, Comstock/Jupiter Media, Picture Arts/First Light; p. 48 : (de gauche à droite) Picture Arts/First Light, PAL/DK Images, Comstock/Jupiter Media, Photodisc Green/Getty Images, Ivy Images, Ivy Images, Teubner/Getty Images, Foodcollection/ Getty Images; p. 49 : (a) Comstock/Jupiter Media, (b) Comstock/Jupiter Media, (c) Photodisc Blue/ Getty Images, (d) Photodisc Green/Getty Images; p. 50 : (A) © Royalty-Free/Corbis, (B) Getty Images; p. 51 : (C) Photodisc Green/Getty; p. 52 : (de gauche à droite et de haut en bas) digitalvision/Getty images, digitalvision/Getty images, © Royalty-Free/Corbis, © Royalty-Free/Corbis, Comstock/Jupiter Media, Comstock/Jupiter Media, PAL/DK Images, PAL/DK Images, Picture Arts/First Light, Marie Kocher, PAL/DK Images; p. 56 : (à gauche) Bananastock/First Light, (à droite) digitalvision/First Light; p.57 : (en haut) Rosebud Pictures/Getty Images, (encart) Stockfood/Maxximages, (en bas à gauche) © Robert van der Hilst/CORBIS, (à bas à droite) Paramount Pictures/Courtesy of Getty Images; p.58 : (de gauche à droite) Element photo/Maxximages, Photodisc/ Getty images, Stockfood/maxximages, Comstock/ Jupiter Media, Comstock/Jupiter Media, PAL/DK Images, Picture Arts/First Light; p. 59 : (de haut en bas) Harry Bishof/maxximages, © Conde Nast Archive/Corbis, Comstock/Jupiter Media, © photocuisine/Corbis, Comstock/Jupiter Media; p. 61 : (a) © Royalty-Free/Corbis, (b) Iconica/Getty Images, (c) Anthony Johnson/The Image Bank/Getty Images, (d) Ulrich Kerth/Stockfood Creative/Getty Images; p. 62 : (en bas) Photodisc Red/Getty Images (arrière-plan), Photodisc Green/Getty Images (la crème glacée); p. 64 : (de gauche à droite) Stockfood/ Maxximages.com, © Pierre-Paul Poulin/CORBIS, Comstock/Jupiter Media, Pixtal/Maxximages.com,

gauche à droite et de haut en bas) © Rubberball, © Royalty Free/CORBIS, Donald B. Kravitz/Getty Images; p. 119 : (de gauche à droite et de haut en bas) iStockphoto, © Anders Ryman/CORBIS, © Danita Delimont / Alamy, Kent Hutslar; p. 120 : © David Stoecklein/Corbis; p. 121 : (en haut) Scott Markewitz/ Taxi/Getty Images, (au centre) © Schlegelmilch/ Corbis, (en bas) © Kevin Fleming/Corbis; p. 122 : (de gauche à droite) Alfo Photo Agency/Alamy, © David Young-Wolff/PhotoEdit, © A. Inden/zefa/Corbis, Vince Talotta/Toronto Star/First Light, Photri Microstock, Ken Chernus/Taxi/Getty Images, © Richard Hutchings/PhotoEdit; p. 123 : (en haut) © Royalty-Free/Corbis, (au centre) © Dennis MacDonald/PhotoEdit, (en bas) Lon Diehl/ PhotoEdit; p. 125 : Comstock; p. 132 : (en haut) © Royalty-Free/Corbis, (en bas) © HO/Reuters/ Corbis; p. 133 : (en haut) © Yves Herman/Reuters/ Corbis, (en bas) © Alain D./Rollers & Coquillages 2005; p. 134 : (en haut à gauche) CP/Adrian Wyld, (en haut à droite) © Tony Freeman/PhotoEdit, (en bas à droite) © Peter Griffith/Masterfile; p. 135 : (en haut à gauche) Image100/First Light, (en haut à droite) CP/Peter Dejong, (au centre) © Michael Kim/Corbis, (en bas) Dennis MacDonald/PhotoEdit; 138 : (en haut) CP/Ryan Remiorz, (en bas à gauche) CP/Ryan Remiorz, (en bas à droite) CP/Tom Hanson; p. 139 : CP/Adrian Wyld; p. 140 : CP/Frank Gunn; p. 142 : CP/Ryan Remiorz; p. 144 : (en haut à gauche) Gallo Images/Getty, (en haut à droite) Getty Images, (en bas) © Dorling Kindersley, p. 145 : (en haut) AP/ Christophe Ena, (en bas) David Sanger Photography/ Alamy; p. 146 : (de gauche à droite et de haut en bas) © Royalty-Free/Corbis, Ice from Face Level Riverboating and American Rescue, © Gerolf Kalt/

zefa/Corbis, © Phil Schermeister/Corbis, Michael Clark/Outdoor Collection/Aurora Photos, © Daniel Attia /zefa/Corbis, © Randy Faris/Corbis; p. 147 : (en haut à gauche) Kennan Harvey/Outdoor Collection/Aurora Photos, (en haut à droite) © Fabio Cardoso/zefa/Corbis, (au centre) © Rommel/ Masterfile, (en bas) © Tim de Waele/Corbis; p. 149 : (A) Michael Clark/Outdoor Collection/Aurora Photos, (B) Kennan Harvey/Outdoor Collection/ Aurora Photos, (C) © Gerolf Kalt/zefa/Corbis, (D) © Royalty-Free/Corbis; p. 150 : (A) Snowscoot Canada Inc., (B) © David Madison/zefa/Corbis, (C) © Branimir Kvartuc/ZUMA/Corbis; p. 151 : (D) © Uli Wiesmeier/zefa/Corbis, (E) © Strauss/Curtis/ Corbis; p. 156 : (en haut à gauche) Willie Maldonado/ Stone/Getty Images, (en haut à droite) © Colin/ Wallis.Fr; p. 157 : (en haut) Michael Clark/Outdoor Collection/Aurora Photos, (en bas) Buzz Pictures/ Alamy

Remerciements

Pearson Education Canada tient à remercier les nombreux enseignants et enseignantes et leurs élèves qui ont participé à notre projet de révisions éditoriales.

Les éditeurs tiennent à remercier toutes les personnes qui se sont prêtées à nos séances de photos.

Les éditeurs ont tenté de retrouver les propriétaires des droits d'auteurs de tout le matériel dont ils se sont servis. Ils accepteront avec plaisir toute information qui leur permettra de corriger des erreurs de références ou d'attribution.